中国儿童文学名家名作

蓝皮鼠和大脸猫

葛 冰／著

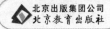

美绘
注音版

北京出版集团公司
北京教育出版社

图书在版编目（CIP）数据

蓝皮鼠和大脸猫 / 葛冰著. — 北京：北京教育出版社，2017.3
（中国儿童文学名家名作）
ISBN 978-7-5522-8081-4

Ⅰ.①蓝… Ⅱ.①葛… Ⅲ.①童话 - 作品集 - 中国 - 当代 Ⅳ.①I287.7

中国版本图书馆CIP数据核字（2016）第177363号

中国儿童文学名家名作

蓝皮鼠和大脸猫

葛 冰 / 著

*

北京出版集团公司
北京教育出版社 出版
（北京北三环中路6号）
邮政编码：100120
网址：www.bph.com.cn
北京出版集团公司总发行
全国各地书店经销
三河市骏杰印刷有限公司印刷

*

880mm×1230mm 32开本 4印张 97千字
2017年3月第1版 2017年11月第2次印刷

ISBN 978-7-5522-8081-4
定价：10.00元

目 录
CONTENTS

目录

蓝皮鼠和大烟卷儿

像蓝皮鼠这样漂亮的老鼠，恐怕全世界找不出第二只。他那一身好看的皮毛像蓝缎子，闪闪发光。他还会表演惊险杂技，比如：双手连抛五颗红樱桃走钢丝，细尾巴像神鞭一样抽灭燃着的火柴，从小空瓶里变出彩色的会跳《天鹅湖》舞的跳蚤。他在动物世界杂技锦标赛上还得过大奖呢！奖品是一辆漂亮的巧克力吉普车。蓝皮鼠在吉普车上插了一面小旗子，上面写着"魔星杂技团"，他就开着这辆车子到处巡回演出。

一天，香烟公司的老板找到了蓝皮鼠："大师先生，您的表演真是太精彩了，请您为我们做一次宣传广告吧！"

"可是我听说，烟卷儿是不准做广告的，因为里面有尼古丁。"蓝皮鼠迟疑地眨着小眼睛。

"我们给您好多钱！"老板笑眯眯地把一口袋金币倒在地上。

这么多钱，可以买多少东西呀！蓝皮鼠馋得眼睛放光，他答应了。

第二天，香烟公司便送来了一支奇特的大烟卷儿。

演出开始了，蓝皮鼠抱着烟卷儿在场地上转圈，大声喊着："大力牌香烟，味道真

是好极了！"他把大烟卷儿立在地上，用尾巴

"唰"的一下抽燃了火柴，**点燃**了香烟。

一股烟从烟卷儿里冒了出来，浓浓的，

飘在空中，像毯子一样。蓝皮鼠一下子跳上

去，坐在烟毯上面，笑嘻嘻地说："会吐烟圈

的，还可以吹出救生圈呢！"

下面有人鼓掌，蓝皮鼠更来劲儿了，索性

抱着大烟卷儿耍了起来。一缕缕烟在空中冷

却，变成了一条条黑线。

"您可以用烟线来跳绳，还可以用烟线打

máo yī   lán pí shǔ shà yǒu jiè shì de chuī niú   jiāng yān juǎnr   zài yān
毛衣！"蓝皮鼠煞有介事地吹牛，将烟卷儿在烟

wù li shuǎ de fēi kuài   kě màn màn de   tā shuǎ bu dòng le   yuán lái
雾里耍得飞快。可慢慢地，他耍不动了。原来

yān xiàn zhī chéng de hēi wǎng bǎ tā kǔn zài lǐ miàn   tā yí dòng yě bù
烟线织成的黑网把他捆在里面，他一动也不

néngdòng le   tā dà hǎn   jiù mìng
能动了。他大喊："救命！"

rén men chī jīng de zhāng dà le zuǐ   zhè yān yào chōu dào fèi li
人们吃惊得张大了嘴：这烟要抽到肺里，

bǎ fèi hé gān kǔn zhù kě bù dé liǎo   kàn lái děi jiè yān   xiè xie lán
把肺和肝捆住可不得了，看来得戒烟。"谢谢蓝

pí shǔ   nǐ yòngxíngdòng gěi wǒ men zuò le jiè yān guǎng gào
皮鼠，你用行动给我们做了戒烟广告。"

阅读心得

　　蓝皮鼠为了利益给香烟公司的烟卷儿做广告，结果作茧自缚，自己被烟卷儿的有害气体缠绕住了。小朋友们，做任何事情都要考虑清楚后果，不能只顾眼前利益。

中国儿童文学名家名作

巧克力车轮失窃

　　蓝皮鼠好不容易才用刀子割断烟线，从网里挣脱出来，狼狈地跳上巧克力吉普车。

　　"咕咚！咕咚！"车轮好像坏了，把他的屁股颠得好疼。难道是被马路磨的？蓝皮鼠低头一看，啊，巧克力车轮少了半个！这是被谁偷吃了？！真该死！他气冲冲地下来修补。

　　"这车是你的？"背后有个傻乎乎的声

yīn wèn
音问。

lán pí shǔ huí tóu yí kàn　　xià de hún dōu fēi le　　hǎo yì zhāng dà
蓝皮鼠回头一看，吓得魂都飞了：好一张大

māo liǎn　　xiàng gè dà guà pán　　lán pí shǔ gǎn shuō shì jiè shang jué duì zhǎo bu
猫脸，像个大挂盘。蓝皮鼠敢说世界上绝对找不

chū dì èr zhāng zhè me dà de māo liǎn lái　　kě tā de shēn tǐ hěn xiǎo　　hái
出第二张这么大的猫脸来。可他的身体很小，还

bú dào liǎn de sān fēn zhī yī　　tā de zuǐ shang hái zhān zhe qiǎo kè lì ne
不到脸的三分之一。他的嘴上还沾着巧克力呢，

kě lǎo shǔ néng gēn māo qù jiǎng lǐ ma　　lán pí shǔ xiǎng pǎo
可老鼠能跟猫去讲理吗？蓝皮鼠想跑。

bié pà　　wǒ bú huì zhuō lǎo shǔ　　dà liǎn māo lǎo shi de
"别怕！我不会捉老鼠。"大脸猫老实地

中国儿童文学名家名作

说，"就是我想捉……也捉不着，脸，太重了。"他还有点儿结巴。

"你想干什么？"蓝皮鼠不害怕了。

"我想换你这辆巧克力车。"

"可你给我什么呢？"

"我这儿……就有……有点儿耗子药！"

"呸！"蓝皮鼠觉得这猫有点儿傻，"不行！"

"我还想参加你的杂技团！"

"可你会什么呢？"

"我脸大，我还会讲……讲哲……哲学，比如：老鼠的寿命全……在于……猫。"

"呸！你这废物！你走吧！"蓝皮鼠连连摇头。

大脸猫急了："我……我还会……会……"

他猛地打了一个大喷嚏。

好家伙，就像放了一炮，蓝皮鼠"嗖"的

一下被喷嚏弹起来，连翻几个滚儿，足足翻到
两层楼那么高；落下来时，正落在大脸猫的头
上，把他砸得眼冒金星，昏头昏脑。

"行！我这个杂技团收你！"蓝皮鼠十分
抱歉地说。

阅读心得

人不可貌相，海水不可斗量。我们在交朋友的时候，不要以貌取
人。大脸猫因为长相怪异，看起来也没有什么本事，所以起初被蓝皮鼠
瞧不起。但是他不小心打的一个喷嚏，证明了自己的能力。

奶油蛋糕云

大脸猫决心也练几手杂技，他不能光会打喷嚏枪啊！

蓝皮鼠说："这可要吃苦的，而且不能三心二意。"

"没……没问题，瞧……瞧我的！"大脸猫逞能地说。

他俩合作练习"空中飞人"。大脸猫用鼻

尖顶着一根长长的细杆，蓝皮鼠在杆顶上表演。细杆足有五层楼那么高。

练了一会儿，大脸猫觉得鼻尖太酸了，想改用脸顶。"脸面积大，这样安全！"他仰脸跟蓝皮鼠商量。

"不成！一点儿也不惊险！"蓝皮鼠在空中翻着跟头。

"可我刚得过鼻炎！"大脸猫哼唧着。

一朵云飘过去了，这可不是一般的云，而是奶油蛋糕云。食品厂做蛋糕时发酵粉放得太多了，蛋糕充满了气，胀得鼓鼓的，就顺着烤炉的烟囱跑出来，在空中飘。

"好香的味儿！"大脸猫首先闻到了，使劲儿吸溜鼻子，细杆微微颤动。

"练功要专心！"蓝皮鼠厉声警告。

可是奶油蛋糕太有诱惑力了，"唰啦！

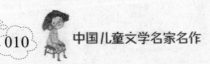

shuā lā　　　　shàng miàn
唰啦！"上面

hái diào xià lái xiāng pēn pēn de
还掉下来 香喷喷 的

pú tao gān　　guā zǐ rén　　tián xìng
葡萄干、瓜子仁、甜杏

rén　　xiàng xià xiǎo yǔ yí yàng　　zhōu wéi
仁，像下小雨一样。周围

de xiǎo háir dōu qù jiǎn　　dà liǎn māo chán
的小孩儿都去捡，大脸猫馋

de kǒu shuǐ dōu kuài yào liú chū lái le
得口水都快要流出来了。

　　　　huā　　　　tài yáng bǎ nǎi yóu dàn
"哗——"太阳把奶油蛋

gāo shài huà le　　nǎi yóu xiàng yì gǔ xī shuǐ cóng
糕晒化了，奶油像一股溪水从

tiān shàng liú xià lái
天上流下来。

　　　zài bù hē jiù méi le　　　dà liǎn māo
"再不喝就没了！"大脸猫

wàng jì zì jǐ shì zài liàn gōng　　zháo jí de yì
忘记自己是在练功，着急地一

niǔ liǎn　　cháng cháng de gān zi dǎo le
扭脸，长长的杆子倒了。

　　　lán pí shǔ yǎn kàn jiù yào diē xià
蓝皮鼠眼看就要跌下

lái　　tā què líng qiǎo de zhuā zhù nǎi
来，他却灵巧地抓住奶

yóu xī liú　　xiàng pá
油溪流，像爬

shéng yí yàng　　cēng
绳一样，"噌

cēngcēng　　　　　fēi kuài de wǎngshàng pá
噌噌……"飞快地往上爬。

dà liǎn māo kàn lèng le　　suǒ yǒu rén dōu bèi zhè jǐng xiàng jīng dāi
大脸猫看愣了，所有人都被这景象惊呆

le　　tā men kàn jiàn lán pí shǔ pá dào le nǎi yóu dàn gāo yún shang
了。他们看见蓝皮鼠爬到了奶油蛋糕云上，

jiù bù yóu zì zhǔ de gǔ qǐ zhǎng lái　　zhēn shì jué jì
就不由自主地鼓起掌来："真是绝技！"

jiǎo xià yǒu nà me duō hǎo chī de　　lán pí shǔ què yì diǎnr méi
脚下有那么多好吃的，蓝皮鼠却一点儿没

dòng xīn　　tā duì xià miàn de dà liǎn māo shuō　　xué xí rèn hé jì yì
动心，他对下面的大脸猫说："学习任何技艺

dōu yào jīng shén jí zhōng　　dǒng ma
都要精神集中，懂吗？"

dà liǎn māo liǎn hóng le　　hóng de xiàng kuài dà hóng bù
大脸猫脸红了，红得像块大红布。

阅读心得

　　大脸猫在练习技艺的时候分了心，想去吃奶油蛋糕，但是蓝皮鼠却专心致志，完全不为所动。我们做任何事情都要一心一意，三心二意是什么事情都做不好的。

中国儿童文学名家名作

超级胶水炮

蓝皮鼠和大脸猫来到了一座海滨城市。

这儿的景色真是美极了。天空湛蓝如洗，同样也是湛蓝的大海上，漂浮着一片片白帆，挂着红黄彩旗的游船自由自在地在软缎般的海面游弋。

"啊，大海，大海！"这景色激起了大脸猫的诗情，他很想作一首好诗，可惜智商太

低，想了半天，才吭哧出一句，"啊，你真是大海！"

他还来不及想下一句，蓝皮鼠已跳到车顶上，放开嗓门儿吆喝起来："快来看哪，世界上最精彩的魔术！"他随手一扬，立刻有两个闪亮的彩色光点飞向空中。那是喂了爆竹药的小跳蚤，他们在空中弹来弹去，喷着烟雾，竟在空气中写出了"东方大魔王"五个字来。

在海滨休养的人们潮水般地涌过来，把大脸猫挤到了一边。他忙捂着大脸嘟嘟囔囔："慢一点儿，慢一点儿，别踩着我的大脸！"

正在这时，他突然发现沙滩上放着三门绿色的小炮，炮手们伏在小炮后面，紧张地瞄着海面；再一看海面，一艘小汽艇正拖着白浪飞快地冲向一艘大游船。不好！两船相

撞了，大游船被撞了个大洞，
海水汹涌地涌了进去。

"快！快救……人！"大脸猫还没来得
及喊出声，猛然瞥见岸上绿色的小炮已点
燃了火药捻儿。

"啊，他们要打沉大游船！这是
阴谋！我一定要制止！"大脸猫顾
不得多想，猛然往自己鼻孔里塞进
一把沙子，"阿——嚏！"
好厉害的喷嚏枪，一
个特大喷嚏射出

去，正打在炮筒上，炮筒向上倾斜了四十五度，"轰！"炮弹射向空中。

"你为什么破坏我们的营救行动？"几个炮手睁圆了眼。

"用炮弹营救？！"大脸猫严厉地反问。

"这是万能胶水炮！你看！"炮手们指向空中。大脸猫仰脸一看，顿时觉得有一点儿不妙。原来，打歪的炮弹正好射中了一架直升机，喷出的胶水把直升机粘在云彩上了。

"轰！轰！"又是两炮，炮弹准确地射中海上就要断裂的大游船，一下子把裂口粘住了。大游船又正常行驶了。

"原来是这么回事！我十分抱歉！"大脸猫抹着脸上的冷汗，心里忽然冒出了个念头，

"请问，这胶水炮可以卖给我一门吗？"

"当然可以。"

大脸猫买了一门绿色的胶水炮。过去他特羡慕蓝皮鼠在两座摩天大楼之间走钢丝的绝技，这回他也想练练。他对蓝皮鼠说："看我要摔下去时，赶快放炮，好把我粘在钢丝上。"

大脸猫颤颤悠悠地在二百米高的钢丝上行走，下面的汽车像小甲虫，人像小米粒，太吓人了！"站不稳，要摔了！快放炮！"大脸猫的脸紧贴在钢丝上，他把吃奶的劲儿都使出来了。

"轰！"蓝皮鼠这一炮放得太准了，不偏不斜，正打在大脸猫的大脸上。大脸猫可比大游船轻多了，他被胶水炮弹直冲上天空，"噗"的一下粘到耸立在全城最高处的电视发射塔的塔尖上。

据说，这胶水过十五天才能自动溶化。大脸猫被牢牢地粘在上面，足足待了两天，直到蓝皮鼠带上速溶胶水，钻进炮筒，让炮手把他打上塔尖，才把大脸猫救下来。从此，他们的表演节目中，又多了一个"胶水炮"的绝技表演。主演——大脸猫、蓝皮鼠。大脸猫的名字还是第一次被放到前面。

阅读心得

　　大脸猫很冲动，他看见海边的人点炮，不由分说，就上前把人家的炮打歪了。虽然他是一片好心，但是显然没有收到好的效果。小朋友，做事情之前要考虑清楚哟!

中国儿童文学名家名作

狡诈的机器人

大脸猫和蓝皮鼠参观机器人博览会。漂亮的大厅里摆满了各种各样的机器人，真是琳琅满目，色彩缤纷。他们被吸引了，也想买一个。于是，他们开始认真地挑选。

"歌舞机器人！"蓝皮鼠念着说明书，连连摇头，"不要！不要！我们自己就是第一流舞蹈家。"

"教授英文的机器人！"大脸猫看着另一种，

"不要！不要！学那玩意儿太损耗脑细胞。"

"帮助捉老鼠的机器人！"蓝皮鼠看着，不由得狠狠哼了一下鼻子，跺脚想走。

"专治猫瘟病的机器人！"大脸猫念着，狠狠地叨咕了一句，"简直胡说，哪儿有猫瘟？一定是他们写错了，是猪瘟吧？"

但看到最后一种，他们俩不约而同地都乐了。这种机器人太理想了，能从事各种家务劳动：买东西、洗衣服、做饭、刷碗、倒垃圾……还能和人交流思想，真是一种高智能的机器人。蓝皮鼠和大脸猫毫不迟疑地决定买这个小个子机器人。

他们这回可以衣来伸手、饭来张口了。

瞧，买来个好保姆：每天清早，他们刚洗完脸坐到桌边，小个子机器人便端来两杯热奶，两盘抹过黄油或夹着香肠的面包片。

中午、晚上，都按时给他们送来丰盛的美餐。但蓝皮鼠还有一点儿不满意，趁大脸猫不注意，他悄悄溜进厨房里对小个子机器人说："下次送饭，你给我多放一点儿奶酪，少给大脸猫一点儿！"

"这样好吗？"小个子机器人惊愕地眨着眼睛问。

"当然好！"蓝皮鼠说着，打开机器人脑后的小门，调整了程序。

机器人再给他们送饭的时候，蓝皮鼠的奶酪果然比大脸猫的多一倍，蓝皮鼠高兴得抓耳挠腮，他太爱吃奶酪了。大脸猫气得肚子鼓鼓的，别看他算术不好，弄不清三乘七得多少，但心眼儿一点儿不少，他一眼就判断出，机器人给蓝皮鼠的奶酪整整比他的多三点八七勺（小数点后最后一位还是四舍五入的）。

大脸猫趁蓝皮鼠睡着时，偷偷跑到小个子机器人面前吩咐："下次送熏鱼，给蓝皮鼠鱼头和鱼尾，我要中间！"

"行！"小个子机器人笑眯眯地答应，他似乎多少懂得一点儿了。

当蓝皮鼠气鼓鼓地注视着自己面前的一盘鱼头时，大脸猫啃着香喷喷的熏鱼肉，心里乐开了花。

"你要在我的牛奶里多放糖！"

"你给我的苹果要个儿大！"

"多给他一点儿肥肉，瘦的给我！"

蓝皮鼠、大脸猫轮流往厨房里跑，

不断地打开机器人脑后的小门，给他调整程序。渐渐地，他们俩都觉得有一点儿不对劲儿：怎么面包片越来越薄，牛奶稀得像兑了水，送来的熏鸡都没有鸡大腿，肉都又白又肥……

他们俩终于憋不住了，一齐跑到厨房里，打开食品柜一看，哎呀！里面放了那么多好吃的，小个子机器人正坐在里面津津有味地啃着抹着黄油的鸡大腿呢，闹了半天，他把好东西都留给自己了。

大脸猫和蓝皮鼠都看得傻眼了。这怪谁呢？是他们自己把"自私"教给了机器人。

阅读心得

　　大脸猫和蓝皮鼠都想要机器人给自己开"特例"，他们自作聪明地调整机器人的程序。但是最终结果却是"鹬蚌相争，渔翁得利"，机器人也学会了自私，把好东西都留给了自己。所以，我们在平时的交往中可不能"算计"对方哟。

喷喷香乐园

蓝皮鼠和大脸猫的杂技演出太精彩了，"头耍神灯""空中飞人""喷嚏枪打靶"，全都博得了**热烈**的掌声。

演出结束时，市长走上台来，递给他们两张票："请你们参加我市最隆重的'喷喷香乐园'活动。"大脸猫接过票一看，好家伙，五百元一张，真贵！

喷喷香乐园设在市中心广场，四周有绿色的栅栏墙。大脸猫和蓝皮鼠交了票，进去一看，简直惊呆了。他们迎面看见一座巧克力山，上山的台阶都是用果仁、红樱桃铺成的，周围的草地、鲜花都是用什锦果脯做的，一座座白楼房全是奶油蛋糕，楼房的窗户上镶嵌着葡萄干，面包小径边上的长椅全是由腊肉片、熏鱼

拼成的。各种香味争先恐后地直向他们的鼻孔袭来，太诱人了！大脸猫馋得嘴巴里流出了一尺长的口水，他不由自主地趴在长椅上啃了一口熏鱼："好香！"蓝皮鼠也用尾巴飞快地从草坪上拿起一块香桃蜜饯丢进嘴里。

"怎么没到时间你们就吃？罚款！"一位服务员从旁边跑了过来。

大脸猫抬头一看，才发现山顶上有一块大表，表旁边的一面小旗上写着："九点钟开始大会餐。"

没办法，他们只好交了一百元罚款。大脸猫心痛极了，他发狠地说："一到九点，我要把肚皮吃得圆圆的！"蓝皮鼠也说："我也是，我还要用尾巴帮忙拿东西吃！"

他们把嘴张得大大的等着，逛公园的人也都在眼巴巴地盯着山顶上的大表。时间过得太慢了，蓝皮鼠东张西望，发现湖边有一艘汽艇，他便跳了上去。大脸猫忙喊："带上我！"他们开着汽艇在湖里转了起来。突然，他们感觉汽艇在迅速变小。

"不好！这是速溶咖啡汽艇！"蓝皮鼠指着汽艇上的牌子惊呼。果真，汽艇已经溶化了一半，半个湖的水都变成香喷喷的速溶咖啡了。

他们看见湖中心有个小岛，便急忙驾驶着半个汽艇飞驶过去，好容易一个跟头翻上小岛，汽艇化没了，整个湖水全成了速溶咖啡。大脸猫来了个嘴啃泥，他舔舔舌头，不由得叫道："泥土是甜的！"原来这是砂糖岛，小岛也在一点儿一点儿溶化，因为喝速溶咖啡总得有糖。

"快！快上！"蓝皮鼠发现小岛上有一架

飞机，便一个箭步跳上去。大脸猫用大脸一骨碌，比蓝皮鼠上得还快。

飞机起飞了，升到空中，都快到云彩边上了。大脸猫吸溜着鼻子，感觉到有股香味，他用嘴轻轻地咬了一下座椅，立刻咬下香喷喷的一块，原来是酒心巧克力做的。"哈哈！这回可以好好地吃一顿了！"大脸猫高兴得把嘴咧得老大。

"请注意，请注意！"飞机上的录音机突然响了，"本飞机为食品飞机，一分钟以后立即爆炸，请赶快跳伞！请赶快跳伞！"随即，发动机冒出一股香喷喷的烟雾，不过这会儿他们俩也顾不得闻了，只听轰隆一声，飞机炸裂成无数糖果，像雨点一样落下来。当然，这些糖果中也有两个特殊的"糖果"——那是大脸猫和蓝皮鼠。

"要是落在巧克力山上就好了！"大脸猫

中国儿童文学名家名作

在空中一边翻着跟头一边想。

一股风吹来，把大脸猫和蓝皮鼠分开了。不巧，他们正好落在绿栅栏墙外面。这时喷喷香乐园里的大喇叭响了："现在大会餐开始！"大脸猫和蓝皮鼠顾不得疼痛，爬起来就往入口处跑。

"门票！"把门的工作人员拦住了他们。

糟糕！进不去了，这回什么也吃不成啦！

阅读心得

　　无规矩不成方圆。人不管做什么事情都要守规则，这样社会才能正常、和谐。大脸猫和蓝皮鼠来到喷喷香乐园，因为一时嘴馋而不守规矩，最后因小失大，失去了大快朵颐的好机会。

蓝皮鼠和金甲虫

耳朵里的小房子

蓝皮鼠长着两只大耳朵，圆圆的，沉甸甸的，就像两个挂盘贴在脸的两边。

平时没事，他总爱待在屋子里，竖起耳朵，听着从上面办公室里飘下来的音乐。

突然，他感觉出有一点儿不对劲儿，痒痒

的，好像有什么小东西钻进了他的右耳。

嗡嗡嗡，噗噗噗，

这间新房真漂亮。

冬天暖来夏天凉，

还有柔软的沙发床。

一个清亮的嗓音在他耳朵里唱歌，小爪子搔得他耳鼓"唰啦唰啦"地响。

"喂！你是谁？"蓝皮鼠吓得从床上跳下来。

"金甲虫皮特！"里面笑嘻嘻地答应。

"你通过我的批准了吗，你就进来了？"蓝皮鼠气急败坏地叫。

"我可以多交房钱！"皮特嬉皮笑脸地说。

"那也不成！"蓝皮鼠开始不客气地用手掏耳朵。不行，耳朵虽大，眼儿却小，手伸不进去。

蓝皮鼠又在地上乱蹦，使劲儿甩脑袋、晃耳朵，甩晃得他自己眼冒金星，皮特却在里面一声不

kēng，一会儿居然响起了响亮的鼾声。

"你等着，我去找医生！"蓝皮鼠气鼓鼓
地喊。

他真的去找医生了。

"我右耳朵里进了个小虫！"蓝皮鼠哭丧
着脸。

老医生用带灯的小镜子一照，兴奋地叫
道："我看见了那个小东西！金黄的，还长着
个大鼻子。"

"用镊子把他狠狠地夹出来！"蓝皮鼠嘴
巴上使着劲儿。

"嘿！这个小东西真调皮，他向我吐舌头
呢！嗬，扮鬼脸了！不好！他唾了我一口。"老
医生缩回了脸，准备把镊子伸进去。

金甲虫突然冲他猛喊："你敢？！"一声
巨大的吼叫从耳朵眼儿里飞出来，震得空气嗡

中国儿童文学名家名作

嗡作响。老医生被震得直哆嗦。他嘟囔着：

"这么厉害的小虫，我可看不了，你去找别人吧！"

蓝皮鼠傻呵呵地站在那儿，他已经被震糊涂了。

"咦咦咦"变"呀呀呀"

不行！蓝皮鼠实在受不了啦！他必须撵出耳朵里讨厌的金甲虫。那小家伙简直是个歌迷。清晨，蓝皮鼠躺在床上正睡得迷迷糊糊，"咦咦咦——"这小家伙就在耳朵里练起嗓子来了，震得蓝皮鼠像弹簧似的跳起来。

"你能不能别'咦咦咦'呀？"蓝皮鼠使劲儿捂着耳朵。

里面不作声了。他刚躺下，就听见"呀呀呀——"瞧！声音又变成"呀呀呀"了，而且是高

bā dù de
八度的。

lán pí shǔ bí zi dōu kuài qì wāi le　　tā jué dìng gěi zhè ge jīn
蓝皮鼠鼻子都快气歪了。他决定给这个金

jiǎ chóng shǐ gè huài
甲虫使个坏。

lán pí shǔ yì shēng bù kēng de zuān dào shàng miàn de bàn gōng shì
蓝皮鼠一声不吭地钻到上面的办公室，

pá shàng xiě zì tái　　lā kāi yí gè chōu ti　　nà lǐ miàn yǒu bàn hé yān
爬上写字台，拉开一个抽屉，那里面有半盒烟

juǎnr　　　　tā jué dìng xūn xun zhè xiǎo zi
卷儿。他决定熏熏这小子。

lán pí shǔ huí dào zì jǐ de wū zi li　　diǎn rán le yì zhī yān
蓝皮鼠回到自己的屋子里，点燃了一支烟

juǎnr　　jǔ dào ěr biān　　yì gǔ qīng yān piāo jìn le ěr duo li　　tā dé yì
卷儿，举到耳边，一股轻烟飘进了耳朵里。他得意

de zhǎ zha yǎn jing　　yòu yòng yì jié wān qū de pí guǎn　　yòng zuǐ xiàng ěr duo
地眨眨眼睛，又用一截弯曲的皮管，用嘴向耳朵

li chuī yān
里吹烟。

kē　 kē　 kē　　　lǐ miàn chuán chū le jīn jiǎ chóng xiǎng
"咳、咳、咳！"里面传出了金甲虫响

liàng de ké sou shēng
亮的咳嗽声。

lán pí shǔ tōu tōu de xiào le　　tā yòu diǎn rán le dì èr zhī
蓝皮鼠偷偷地笑了，他又点燃了第二支，

dì sān zhī　　　　tā měi zī zī de xiǎng zhe　　zhè me duō de ní gǔ
第三支……他美滋滋地想着："这么多的尼古

dīng － jīn jiǎ chóng zǒng gāi bèi xūn sǐ le　　míng tiān jiù qù ràng yī shēng
丁，金甲虫总该被熏死了，明天就去让医生

bǎ sǐ jiǎ chóng qǔ chū lái　　bàn yè li　　pēng　　pēng　　pēng
把死甲虫取出来。"半夜里，"砰！砰！砰！"

蓝皮鼠被巨大的响声惊醒了，不是有人砸门，

而是金甲虫在他耳朵里用力敲他的耳鼓呢！

"砰！砰！砰！拿烟来！拿烟来！"金甲虫皮

特在他耳朵里又打喷嚏又流鼻涕——这家伙染

上烟瘾了。

蓝皮鼠受不了他使劲儿敲耳鼓，只好叹着气

到办公室的抽屉里乱翻，可

是一支烟卷儿也没有，最后

只在地板上找来了几段烟

头。接连几天，他听见

耳朵里的金甲虫

在咳嗽，唱歌的声音也有些沙哑了。

"这样下去，你的嗓子要坏的！"蓝皮鼠担心地劝告金甲虫。说实在的，这金甲虫唱歌确实不错，蓝皮鼠也很喜欢，要不是他住在自己耳朵里，蓝皮鼠早称他为歌星了。

"你不要再抽了！"蓝皮鼠真心实意地劝他。

"好！那你去找些戒烟糖来！"金甲虫迟疑了一会儿说。

这家伙真会出馊主意，敢情跑腿的不是他！可到哪儿去搞戒烟糖呢？

小河里的遭遇

天好热，太阳像个大火球。蓝皮鼠想去游泳，可一想起得带上耳朵里的金甲虫，他有一点儿不乐意，叫这家伙白坐船玩，太便宜他了。

"喂！喂！"蓝皮鼠用指尖敲着耳朵，"我带你到河里去玩玩，你给我什么报酬？"

"一家人还讲价钱？"瞧！什么时候他和蓝皮鼠成一家子了！

"那可不成！"蓝皮鼠斩钉截铁地说。

"唱支歌怎么样？"

"那得唱赞美老鼠的歌！"蓝皮鼠赶快提条件。

"赞美老鼠的没有，来支《好猫咪咪》吧。"

"呸！"

"要不就是《黑猫警长》！"

"呸呸！"这家伙真坏！

湖水清凉凉的，荡着绿色的波纹。热不可耐的蓝皮鼠舒展双臂，"扑通"一声跳进水里。蓝皮鼠用眼睛偷偷瞄着，漂亮的金甲虫皮特快爬出耳朵眼儿了，那小家伙东张西望，正欣赏着湖中美丽的风景。蓝皮鼠想趁机整治皮特一下，赶皮特出去。于是他一闭眼睛，沉下水去，水立刻向他耳朵涌来。"噗！"好像什么东西堵上了，接着他听见皮特在耳朵里讥笑："我早就知道你会使坏，耳朵上我都安了门！"

蓝皮鼠尴尬地又浮了上来。不好！他糊里糊涂游到水坝边上来了，一个又一个大漩涡，使劲儿把他往水里卷。他用力猛蹬，不一会儿，两条腿都抽筋了。

"救……命！"蓝皮鼠拼命地喊。他的声音太小了，没人听见。他开始往下沉，只能凭着大耳朵的浮力暂时停在水面上喘一口气。他看见一片大树叶漂过耳朵，金甲虫已经跑到耳朵边上了。"他会坐树叶船逃命的！就剩我一个了。"蓝皮鼠悲哀地想。

"救命啊！救命啊！"金甲虫却把大树叶

踢开，扯着大嗓门儿拼命喊起来。声音多大呀！河边钓鱼的人都听见了。老医生也在那儿钓鱼呢。他一甩竿，鱼漂正好落在蓝皮鼠旁边，蓝皮鼠得救了。

金甲虫始终跟蓝皮鼠在一块儿，蓝皮鼠感动极了，他哽咽着说："皮特，真是好样的！我再也不撵你了，你就住在我的耳朵里吧，吃的东西我也包了！"

紧急电话

金甲虫皮特住在蓝皮鼠的耳朵里，他们亲密无间，相处得很和睦。

"皮特，给你半粒绿豌豆！"蓝皮鼠小心翼翼地把豌豆塞进耳朵里。

"还有香肠片，注意别油了我的耳朵！"

金甲虫皮特似乎也变得有礼貌了："我想

蓝皮鼠和大脸猫

撒尿，请您把小尿盆递进来。"蓝皮鼠用麦壳为他做了个小尿盆。

一天傍晚，办公室里静悄悄的，人们都下班了。蓝皮鼠跳到书架上，想找一本图画多的书看看。

突然，他听到了一阵"咝咝"的响声，是从墙角的写字台后面传来的，接着他闻到了一股焦糊的气味。蓝皮鼠急忙跑过去看。啊，办公室的人忘记关电炉子了！电炉子把堆在附近的报纸烤糊了。

"不好，要着火！"蓝皮鼠三步两步蹦上桌子，抓起话筒，用尾巴拨起电话号码。他拨得十分熟练，因为过去晚上没事，他经常打电话玩。

"55552"，他拨通办公室主任家的电话，话筒里响起了胖主任的声音："是谁？"

 中国儿童文学名家名作

"是我，蓝皮鼠！"

"不许胡闹！""啪！"对方把电话挂了。

蓝皮鼠忙又把电话拨通："这回不是胡闹，是着火！"

"算了吧！你说过多少次谎了？"胖主任揭发他，"上星期你打电话说办公室被撬，上上星期说办公室被水淹……"

"蓝皮鼠没说谎！"金甲虫突然大喊起来，把办公室的玻璃都震动了。

"你是谁？"胖主任在电话里惊慌地问。

"歌唱明星皮特！"金甲虫使劲儿喊，却猛地大声咳嗽起来了，因为屋子里已经浓烟弥漫，他被呛出了眼泪，金甲虫打开话筒盖，"叫你这个胖子也尝尝烟味！""呼——呼——"他鼓着嘴巴使劲儿往里吹，浓烟居然被他吹进了话筒里。

"咳！咳！"电话那边的胖主任也咳嗽起来，"你们坚持住！我这就叫人救火！"他终于相信了。

写字台上钓鱼

蓝皮鼠救火有功，办公室胖主任特意送给他一身小巧的上校军服。

蓝皮鼠这回可来劲儿了，他大模大样地挎着用纸板做的长剑，在办公室地板上溜达，摆出主人的架势。

猛然，蓝皮鼠的脚步停住了，目光射向了写字台上的一个玻璃鱼缸。绿水草间，几条漂亮的金鱼在缸里游来游去。蓝皮鼠的眼睛亮了。

"玩玩钓鱼怎么样？"他和耳朵里的金甲虫商量，"抽屉里有鱼钩和钓竿。"

"可是钓饵呢？"金甲虫也动了心。

中国儿童文学名家名作

nǐ lái shì shi zuò diào ěr zěn me yàng　lán pí shǔ xiǎo xīn
"你来试试做钓饵怎么样？"蓝皮鼠小心

de shì tan
地试探。

jīn jiǎ chóng hěn shēng qì　　shǐ jìnr yòng jiǎo chuài lán pí shǔ de
金甲虫很生气，使劲儿用脚踹蓝皮鼠的

ěr gǔ
耳鼓。

méi bàn fǎ　　zhǐ hǎo yòng kōng gōu diào　kě shì yú bú shàng gōu
没办法，只好用空钩钓，可是鱼不上钩。

wǒ lái chàng zhī xiǎo jīn yú de gē xī yǐn tā men　　jīn jiǎ
"我来唱支小金鱼的歌吸引它们！"金甲

chóng wā wā de chě kāi sǎng zi　　chàng qǐ le　shā yú zhī gē
虫哇哇地扯开嗓子，唱起了《鲨鱼之歌》，

jīn yú xià de quán chén dào le shuǐ dǐ　　jí de lán pí shǔ wéi zhe bō
金鱼吓得全沉到了水底，急得蓝皮鼠围着玻

li yú gāng tuán tuán zhuàn　　yǒu bàn fǎ le　　lán pí shǔ tiào xià xiě
璃鱼缸团团转。"有办法了！"蓝皮鼠跳下写

zì tái　pǎo huí zì jǐ de xiǎo
字台，跑回自己的小

wū　qǔ lái yì píng hóng pú
屋，取来一瓶红葡

043

萄酒。

"咕嘟嘟，咕嘟嘟——"蓝皮鼠往鱼缸里倒着酒。不一会儿，金鱼便东倒西歪，摇摇晃晃了。蓝皮鼠爬到鱼缸边上得意地甩钩了。

"哈！一条大金鱼！"蓝皮鼠奋力往上拉。可金鱼的劲儿比他还大，"扑通！"他被拉进了鱼缸，连灌了两口水。他急忙闭住嘴巴，往边上爬。鱼缸太滑了，他爬了几次，都掉了下去。

快到天亮时，总算爬上来了，蓝皮鼠累得筋疲力尽。他拖着沉重的步子走回了自己的小屋，一点儿也没有注意到，他耳朵灌进了酒和水，馋嘴的金甲虫皮特，正在里面大喝特喝呢。蓝皮鼠刚躺下，喝醉的金甲虫耍开酒疯，打起醉拳，还大吼大叫。蓝皮鼠被折磨苦了，眼泪都出来了。这可是自作自受，谁让他调皮捣蛋地干坏事呢！

金甲虫让蓝皮鼠出丑

金甲虫皮特在蓝皮鼠耳朵里醉了好几天，总算醒来了。

皮特生气地埋怨着："你这个坏家伙，都快把我的金嗓子毁了。酒真是个坏东西，以后我再也不喝了，并且得好好管教管教你！"

蓝皮鼠以为这是玩笑话，万万没想到，皮特真的开始立规矩了。

"先把你床下那几瓶马尿倒掉！"

"什么马尿？"

"就是葡萄酒！"

蓝皮鼠简直不相信自己的耳朵了，那是他辛辛苦苦找来的！

"你不倒，我就在你的耳朵里大声唱歌，把你唱晕。"

蓝皮鼠哭丧着脸去倒了，他知道这大嗓门儿的厉害。

"不许老抠脏鼻子！"

"不许随地撒尿！"

"不许到处吐唾沫！"

……

他立的规矩太多了。最使蓝皮鼠不能容忍的是，在好朋友面前，皮特让他出丑了。

老医生家里养了只小白鼠，红眼珠，粉耳朵，还扎着两个蝴蝶结，十分漂亮。蓝皮鼠特别愿意找她玩。

"你的耳朵真大！"扎着蝴蝶结的小白鼠好奇地望着他。

"这耳朵就是我的翅膀，一扇就能飞。"蓝皮鼠吹牛。

"真的？"

"当然！有一次我沿着大河飞了一百里，追了半天燕子……"

金甲虫在他耳朵里突然说："就是掉河里差点儿淹死，被老医生救起来那次吧！"

蓝皮鼠继续吹牛："你知道吗？因为救火，我得过一身上校军服……"

小白鼠被迷住了。最后，她羞怯却又满怀期待地望着蓝皮鼠："我可以到你家去做客吗？"

"当然可以，"蓝皮鼠连忙答应，"只是你先让我回去准备一下……"

趁他喘气的工夫，金甲虫马上把话接了过来："我得把脏袜子藏在床底下，把地上的糖果皮扔出去，还有……"

"什么？你说什么？"小白鼠惊奇地望着蓝皮鼠。

蓝皮鼠脸涨得通红，忙捂着耳朵跑了，他怕金甲虫再说出更难听的话来。

又搬进绿甲虫

蓝皮鼠把他的小屋子收拾得干干净净。他的脸和耳朵也白净多了。可是他并不高兴，耳朵里的金甲虫简直像对犯人似的管着他。

蓝皮鼠在院子的花池边上遛来遛去。忽然，从一丛花下飘来悠扬悦耳的琴声。蓝皮鼠好奇地走过去，掀起一大片绿叶子，只见一只绿甲虫正在那儿拉一把极小极小的小提琴呢。

蓝皮鼠转着眼珠，脑子里猛然冒出一个好主意。

"喂！"他问绿甲虫，"你怎么光拉不唱？"

"我的嗓子不好。"绿甲虫声音沙哑地说。

"你住的房子宽敞吗？"蓝皮鼠仔细地打量

zhe tā
着她。

　　lù jiǎ chóng bù míng bai sǎng zi hé fáng zi yǒu shén me guān xì
　　绿甲虫不明白嗓子和房子有什么关系，
dàn tā hái shi lǎo lǎo shí shí de huí dá le 　 tǐng kuān chang de
但她还是老老实实地回答了："挺宽敞的。"
lán pí shǔ dùn shí xīng fèn qǐ lái 　 tā 　 pēng pēng pēng 　 shǐ jìnr de
蓝皮鼠顿时兴奋起来，他"砰砰砰"使劲儿地
qiāo zì jǐ de yòu ěr duo 　 pí tè xǐng xing 　 wǒ gěi nǐ zhǎo lái gè
敲自己的右耳朵："皮特醒醒！我给你找来个
yuè duì
乐队。"

　　jīn jiǎ chóng pí tè chū xiàn zài lán pí shǔ de ěr duo yǎnr 　 shang
　　金甲虫皮特出现在蓝皮鼠的耳朵眼儿上
le 　 liǎng zhī jiǎ chóng yòng jīng xǐ de mù guāng duì shì zhe
了，两只甲虫用惊喜的目光对视着。

　　nǐ huì lā qín
　　"你会拉琴？"

　　nǐ huì chàng gē
　　"你会唱歌？"

zán men shì zhe hé yí xià
“咱们试着合一下。”

lù jiǎ chóng lā tí qín　jīn jiǎ chóng áng shǒu tǐng xiōng　yǐn háng gāo
绿甲虫拉提琴，金甲虫昂首挺胸，引吭高

gē　tā men pèi hé de hǎo jí le
歌，他们配合得好极了。

nǐ lā de zhēn hǎo
“你拉得真好！”

nǐ chàng de zhēn hǎo
“你唱得真好！”

lán pí shǔ gǎn máng hǎn　lù jiǎ chóng nǚ shì de fáng zi tè
蓝皮鼠赶忙喊：“绿甲虫女士的房子特

hǎo　sān tào jiān de
好，三套间的！”

nà kě shì fù mǔ de　wǒ hái yǒu dì di mèi mei ne　lù
“那可是父母的，我还有弟弟妹妹呢。”绿

jiǎ chóng shuō
甲虫说。

nǐ zhù dào wǒ zhèr　ba　zhè fáng zi mán shū fu de　jīn
“你住到我这儿吧，这房子蛮舒服的。”金

jiǎ chóng dà fang de shuō
甲虫大方地说。

lán pí shǔ qì de chà diǎnr　bèi guò qì qù　tā hái méi lái de jí
蓝皮鼠气得差点儿背过气去，他还没来得及

zhì zhǐ　lù jiǎ chóng yǐ jīng fēi qǐ lái　luò zài tā de yòu ěr duo yǎnr
制止，绿甲虫已经飞起来，落在他的右耳朵眼儿

shang　gào su tā shuō　wǒ men quán jiā shì yí gè wán zhěng de jiāo xiǎng
上，告诉他说：“我们全家是一个完整的交响

yuè duì ne
乐队呢！”

xíng le　xíng le　jiù zài zhù nǐ yí gè ba　lán pí
“行了，行了！就再住你一个吧！”蓝皮

鼠上气不接下气地说。真倒霉，金甲虫没搬走，又搬进了一个绿甲虫，这回可真够他受了。

两家房客

现在，蓝皮鼠的耳朵里住着金甲虫和绿甲虫。金甲虫唱歌，绿甲虫拉琴，他们常开音乐会。听众可只有一个，就是蓝皮鼠。他不听也没办法，总不能把自己的耳朵割掉哇。

一天，蓝皮鼠正睡得迷迷糊糊，忽然听见有人在吵嘴，是金甲虫和绿甲虫在蓝皮鼠的耳朵里吵。他立刻精神起来，仔细听。

"你听着！"金甲虫厉害地说。

蓝皮鼠答应："我听着呢！"

"我没和你说！"金甲虫"砰"的一下把

ěr duo li de xiǎo mén guān shàng le
耳朵里的小门关上了。

guān shàng gèng hǎo　　lán pí shǔ tīng de gèng lái jìnr
关上更好，蓝皮鼠听得更来劲儿。

yú shì jīn jiǎ chóng kāi shǐ chàng　　lù jiǎ chóng shǐ jìnr
于是金甲虫开始唱，绿甲虫使劲儿

lā qín　　jīn jiǎ chóng de sǎng ménr　　tí gāo le　　wū li wā
拉琴。金甲虫的嗓门儿提高了，"呜里哇

lā　　　　gē shēng hé qín shēng nán tīng jí le
啦……"歌声和琴声难听极了。

lán pí shǔ máng wǔ zhù ěr duo shuō　　xíng le　　xíng le　　nòng
蓝皮鼠忙捂住耳朵说："行了，行了！弄

de wǒ nào xīn
得我闹心！"

liǎng zhī jiǎ chóng yì qí bú zuò shēng le
两只甲虫一齐不作声了。

guò le yí huìr　　jīn jiǎ chóng xiǎo shēng shuō　　shí fēn bào qiàn
过了一会儿，金甲虫小声说："十分抱歉，

fáng zi tài xiǎo　　méi bàn fǎ
房子太小，没办法。"

jiù shì　　jū zhù miàn jī tài jǐn zhāng　　lù jiǎ chóng yě tàn
"就是，居住面积太紧张。"绿甲虫也叹

le kǒu qì
了口气。

lán pí shǔ zhòu méi xiǎng le yí huìr　　kǔ zhe liǎn shuō　　yào
蓝皮鼠皱眉想了一会儿，苦着脸说："要

bù　　qǐng nǐ men qí zhōng yí wèi zhù dào wǒ zuǒ ěr duo li qù
不，请你们其中一位住到我左耳朵里去？"

nín zhēn hǎo
"您真好！"

ài　　　　wǒ zǒng bù néng ràng fáng zi kòng zhe　　ér nǐ men què
"唉，我总不能让房子空着，而你们却

挤得那么难受。"

绿甲虫搬到蓝皮鼠的左耳朵里去了。

第二天，蓝皮鼠一醒来，便听见左耳朵里
的绿甲虫拉了一支叫《早安，你好》的小提琴
曲。"这是为您拉的！"绿甲虫说。

晚上，蓝皮鼠是在《迷人的夜晚》的歌
声中进入梦乡的。金甲虫告诉他："这是献
给您的。"

蓝皮鼠感动极了，他明白了：自己越关心
别人，别人才越关心自己。

蓝皮鼠的新发现

蓝皮鼠也开始对音乐感兴趣了，因为他的
两只耳朵里，一左一右住着两位天才的音乐
家。蓝皮鼠也想学习一门乐器。

一个星期六的晚上，胖主任一个人来到办

公室，把门关紧，拉上窗帘，然后按一下录音机的开关，对着它挤眉弄眼，学着各种动物的怪叫："汪汪！喵喵！吱吱！噗噗……"

躲在办公桌底下的蓝皮鼠愣住了：怎么回事？胖主任发疯了，要干什么？他一点儿也不知道胖主任是为了在明天的联欢会上表演节目而练习口技呢。录完了，胖主任把刚才的录音放了出来。

蓝皮鼠听得眉开眼笑。他在桌下仔细盯着胖主任的一举一动。等胖主任离开办公室，他便急不可耐地跳到录音机旁。"喂！喂！"他敲敲自己的左耳朵，又敲敲自己的右耳朵，乐滋滋地告诉两只甲虫："献身艺术的音乐家们，你们幸福的日子来了！"

金甲虫和绿甲虫一齐站在了蓝皮鼠的耳朵眼儿上。蓝皮鼠叫他们拉琴演唱，自己则熟练

de àn xià lù yīn jī de lù yīn jiàn　　dāng lù xià de yīn yuè bèi fàng chū
地按下录音机的录音键。当录下的音乐被放出

lái shí　liǎng zhī jiǎ chóng dōu jīng dāi le　　tā men de yīn yuè duō hǎo tīng
来时，两只甲虫都惊呆了，他们的音乐多好听

a　　tā men bù zhī pí juàn de lù le yì zhī yòu yì zhī gē　　yì zhí
啊！他们不知疲倦地录了一支又一支歌，一直

dào kuài lù mǎn yì hé cí dài le
到快录满一盒磁带了。

nǐ yě lù yì zhī gē ba　　jīn jiǎ chóng duì lán pí shǔ shuō
"你也录一支歌吧！"金甲虫对蓝皮鼠说。

wǒ　　lán pí shǔ yí lèng　　bù chéng　　bù chéng　　wǒ de
"我？"蓝皮鼠一愣，"不成，不成，我的

sǎng zi nán tīng sǐ le tā guài bù hǎo yì si de
嗓子难听死了。"他怪不好意思的。

chàng yì zhī ba wǒ gěi nǐ bàn zòu lǜ jiǎ chóng bǎi hǎo
"唱一支吧,我给你伴奏。"绿甲虫摆好

le lā xiǎo tí qín de zī shì
了拉小提琴的姿势。

péng you men zhè yàng guān xīn tā lán pí shǔ xīn li rè hū hū
朋友们这样关心他,蓝皮鼠心里热乎乎

de shuō shí zài de píng shí tā tǐng táo qì bàn guǐ liǎn tǔ
的。说实在的,平时,他挺淘气,扮鬼脸,吐

shé tou luàn hǎn luàn jiào chēng de shàng shì dà wáng zhè huìr
舌头,乱喊乱叫,称得上是大王。这会儿,

tā què xiū xiū dā dā de shuō wǒ lái lǎng sòng yì shǒu shī ba tí mù
他却羞羞答答地说:"我来朗诵一首诗吧,题目

shì dà ěr duo zhī gē
是《大耳朵之歌》……"

jīn jiǎ chóng lǜ jiǎ chóng hái yǒu lán pí shǔ dōu méi xiǎng dào
金甲虫、绿甲虫,还有蓝皮鼠都没想到,

zhè lù xià de cí dài shǐ tā men de mìng yùn fā shēng le zhuǎn zhé
这录下的磁带使他们的命运发生了转折。

zuì jīng cǎi de yǎn chū
最精彩的演出

lán pí shǔ lán pí shǔ
"蓝皮鼠!蓝皮鼠!"

lán pí shǔ tīng jiàn xiǎo fáng zi wài bian yǒu rén jiào yì tuī mén
蓝皮鼠听见小房子外边有人叫,一推门,

xiǎn xiē zhuàng zài yí gè dà bí tóu shang pàng zhǔ rèn zhèng pā zài chuáng
险些撞在一个大鼻头上。胖主任正趴在床

中国儿童文学名家名作

下朝他的洞里喊呢。"你到这儿干吗？"蓝皮鼠惊讶地问。"你出来！"胖主任笑眯眯地对他说，"那首《大耳朵之歌》是你朗诵的？"

蓝皮鼠胆战心惊地钻出了洞，一看屋子里有四五个陌生人拿着好多大大小小的机器，不好！别是来试验什么电子捕鼠器吧！蓝皮鼠吓得扭头跑回洞里，"咚"地把门关上。

"蓝皮鼠，你听着，"胖主任在外面焦急地说，"那盒录音磁带一定是你接着录的吧？前天，我在晚会上播放了出来，大家都听得入迷了。我从《大耳朵之歌》猜想是你。现在电视台、广播电台给你录音来了。"

蓝皮鼠鼓足勇气走了出来，两手用力敲着自己的耳朵，金甲虫、绿甲虫从耳朵眼儿里出来了。

"真正的歌星在这儿。"蓝皮鼠**真诚**地说，"皮特，放开嗓子唱吧！绿甲虫，拉起你的小提琴吧！"

美妙的歌声和琴声响起来了，闪光灯"啪啪"地响，录像机磁带"沙沙"地转。

"我们打算聘请你们二位为电视台专业演员。"电视台的人说。

"我呢？"蓝皮鼠不由自主地问，"我也去吗？"

"这恐怕不成……"胖主任摇了摇头。

"不！蓝皮鼠不去，我们绝不去！我们永远在一起。"两只甲虫**异口同声**地说。

蓝皮鼠的眼睛湿润了，多好的朋友哇！电视台的人也被这种真诚的友谊感动了。

几个月以后，人们在电视屏幕上欣赏了一场异常精彩的演出：蓝皮鼠的两只大耳朵

shàng， 绿甲虫在拉小提琴，金甲虫在独唱；蓝
皮鼠呢，他也不闲着，嘴里吹着小口琴，手里
敲着小铜鼓，尾巴尖上卷着个指挥棒。瞧，他
学会了好几手呢！

蓝皮鼠、大脸猫和白羽毛

一

一只彩色的大鸟在草地上面飞，她拥有一身漂亮的羽毛，简直像一位美丽的小仙女。一只小灰鸟羡慕极了，跟在她后面飞，心里想着："我要是也这样美丽，该多好哇。"可惜她又瘦又小，只有一身灰灰的小羽毛。

她们正在往前飞，突然旁边的树林里冒出了黑烟，小灰鸟飞过去，惊慌地叫："不好了，树林里面着火了！"

这时，从树林里传出了叫喊的声音："救命啊！救命啊！"

小灰鸟说："有人被困在火里了，咱们快去帮帮他吧。"

两只鸟飞进了树林。

树林里，一棵树冒出了火焰，一个个子很矮的长胡子老爷爷趴在树上，正惊慌失措地叫喊。

小灰鸟飞过去，想帮助老爷爷，可是她的身体太小，根本驮不动老爷爷。

"大彩鸟，你快来帮忙啊。"小灰鸟焦急地叫喊。

大彩鸟望着自己身上美丽的羽毛，犹豫着：

"不行，不能去，要是到火里面，我这身美丽的羽毛会被烧坏的。"树上的火越来越大，都快把整个树冠包围了，老爷爷的衣服也燃了起来。

小灰鸟再次焦急地叫："快来帮忙啊，大彩鸟！"

可大彩鸟装作没听见一样，转身往树林外面飞。

"老爷爷，你抓紧我的背。"无奈之下，小灰鸟只有用尽全身的气力，张开翅膀拼命地飞，试图救出老爷爷。而她瘦弱的身体竟然真把老爷爷驮起来，离开了冒着火焰的树。

老爷爷的衣服还燃烧着，把小灰鸟的羽毛也点燃了。

炙热的火焰烧到了小灰鸟的身体，好疼啊。

小灰鸟咬紧牙关，驮着老爷爷，使劲儿飞呀飞，跌跌撞撞地飞出了树林，摔到了草地上。她身上的羽毛燃烧着，她都快成一个火球了。

"赶快在地上打滚儿！"一只青蛙在旁边叫喊。

小灰鸟使劲儿在地上打滚儿，她身上的火焰才熄灭了。老爷爷得救了，可小灰鸟全身的羽毛都被烧光了，成了一只光秃秃的肉鸟。

望着自己丑陋的样子，小灰鸟伤心地流出了眼泪："我身上一根羽毛都没有了。"

"别哭，别哭，这儿还有一根小羽毛呢。"老爷爷说。

真的，小灰鸟尾巴尖上还有一根羽毛，可这根羽毛太小了，还没一根火柴棍大。

"这么小的羽毛有什么用啊？"

"别着急，它会变大的。你看看，它不是变大了吗？"老爷爷用手轻轻摸着小羽毛，奇怪的事情出现了：小羽毛一点儿一点儿变大，变成了一根很大的、雪白雪白的羽毛。

二

"这是一根很神奇的白羽毛，会给你带来好运气的，你好好保护它。"对小灰鸟说完这句话，老爷爷突然消失了。

小灰鸟浑身光秃秃的，只有尾巴上竖着一根雪白的大羽毛。她伤心地想："我翅膀上的羽毛全没了，再也飞不起来了。"

小灰鸟摇摇晃晃地向前走着，天上突然下起雨来，把她的身体全淋湿了，可四周都是草地，没有一点儿避雨的地方，小灰鸟想："要是有一把大雨伞就好了。"

突然她尾巴上的大白羽毛变大了，像一个白色凉棚似的遮了过来，高高地挡在小灰鸟的头顶上，一滴雨点也落不到小灰鸟的身上了。

"哈，这根白羽毛可真不错。"小灰鸟高兴地想。

一个影子从她头顶上滑过，是大彩鸟，大彩鸟的羽毛都被雨水淋湿了，样子非常狼狈。

小灰鸟忙向大彩鸟大声喊：“大彩鸟，快到这儿来避雨吧，我这儿有大羽毛伞。”

大彩鸟飞到了大羽毛下面，惊奇地问：“你这大羽毛伞是哪儿来的？”

小灰鸟说：“是我尾巴上的羽毛变的。”

大彩鸟看着，心想：“我要是能有这样的大羽毛就好了。”

三

雨停了，小灰鸟尾巴上的羽毛伞渐渐地缩小，又变成了一根洁白的羽毛。

大彩鸟飞了起来，小灰鸟羡慕地望着大彩鸟在天空飞翔，心想：“我要是也能飞该多好哇。”

她刚这样想，尾巴上的白羽毛就变成了一支羽毛螺旋桨，一下子旋转起来。

小灰鸟像直升飞机一样，一下子飞上了

天空，飞得比大彩鸟高多了。

大彩鸟仰脸向天上望着，心想："这白羽毛太棒了，我一定要把它弄到手。"

大彩鸟大声地对小灰鸟喊："小灰鸟，我带你去一个好玩的地方，那儿有许多好吃的果子。"

"好哇。"善良的小灰鸟一点儿也不知道大彩鸟打了坏主意，她跟在大彩鸟后面，飞过了草地，飞过了树林，飞到一个山谷里。

山谷里有一棵树，树上结满了紫色的小果子。

大彩鸟落到树上，对小灰鸟说："这种果子特别好吃。"小灰鸟用鼻子闻了闻，果子虽然很香，可是还有一股怪怪的味道。

小灰鸟问："这果子能吃吗？"

"当然可以。"大彩鸟说着啄下一颗果子，可是她趁小灰鸟不注意，把果子悄悄地扔

dào cǎo cóng li　　rán hòu duì xiǎo huī niǎo shuō　　wǒ yǐ jīng chī wán la
到草丛里，然后对小灰鸟说，"我已经吃完啦，

nǐ kuài chī ba
你快吃吧。"

xiǎo huī niǎo xìn yǐ wéi zhēn　　yě chī le yì kē zǐ sè de guǒ
小灰鸟信以为真，也吃了一颗紫色的果

zi　　shuí zhī gāng chī wán tā jiù gǎn dào tóu yūn hū hū de　　màn màn de
子，谁知刚吃完她就感到头晕乎乎的，慢慢地

dǎo xià le
倒下了。

yuán lái zhè shì yì zhǒng zuì guǒ　　chī le jiù huì shuì yì tiān jiào
原来这是一种醉果，吃了就会睡一天觉。

xiǎo huī niǎo tǎng zài cǎo dì shang shuì zháo le
小灰鸟躺在草地上睡着了。

hā hā　　zhè huí dà bái yǔ máo shì wǒ de la
"哈哈，这回大白羽毛是我的啦。"

dà cǎi niǎo lā zhù bái yǔ máo shǐ jìnr　　bá ya bá　　bǎ bái yǔ
大彩鸟拉住白羽毛使劲儿拔呀拔，把白羽

máo cóng xiǎo huī niǎo shēn shang bá xià lái le　　　　wǒ bǎ bái yǔ máo ān
毛从小灰鸟身上拔下来了。"我把白羽毛安

在尾巴上，就会变得更漂亮，成为世界上
最美丽的鸟。"

大彩鸟高兴地叫着。忽然刮起了一阵风，
把白羽毛刮了起来，一直刮上了天空。

大彩鸟急忙飞到天上去追。她远远地看
见白羽毛在前面飘着，落进了树林里。

大彩鸟飞进树林，却怎么也找不到白羽毛了。

四

晚上，蓝皮鼠和大脸猫开着巧克力吉普车
在草地上行驶。

天很黑，前面是一片黑乎乎的树林。

大脸猫说："前面要是有路灯就好了。"

蓝皮鼠说："你净说傻话，树林里面怎么会
有路灯？"

他的话还没有说完，突然树林里闪闪烁

shuò liàng qǐ le wǔ yán liù sè de guāng
烁，亮起了五颜六色的光。

tā men jí máng pǎo guò qù kàn fā xiàn shù zhī shang guà zhe yì
他们急忙跑过去看，发现树枝上挂着一

gēn bái sè de dà yǔ máo bái yǔ máo shang yǒu xǔ duō cǎi sè de xiǎo xīng
根白色的大羽毛，白羽毛上有许多彩色的小星

xing shǎn zhe liàng guāng
星闪着亮光。

dà liǎn māo zhàn zài jí pǔ chē shang lán pí shǔ zhàn zài dà liǎn māo
大脸猫站在吉普车上，蓝皮鼠站在大脸猫

de tóu dǐng shang bǎ dà yǔ máo ná le xià lái
的头顶上，把大羽毛拿了下来。

dà liǎn māo bào zhe liàng shǎn shǎn de yǔ máo lái dào cǎo dì shang
大脸猫抱着亮闪闪的羽毛来到草地上，

yǎng liǎn wàng zhe guà zài yǔ máo shang de cǎi xīng xing rěn bu zhù shuō
仰脸望着挂在羽毛上的彩星星，忍不住说：

zhè yǔ máo hǎo dà ya jiǎn zhí xiàng yì kē shù
"这羽毛好大呀，简直像一棵树。"

tā de huà gāng shuō wán shǒu zhōng de yǔ máo jiù biàn chéng le
他的话刚说完，手中的羽毛就变成了

yì kē shù
一棵树。

lán pí shǔ shuō kàn lái zhè shì yì gēn shén qí de yǔ máo nǐ
蓝皮鼠说："看来这是一根神奇的羽毛。你

shuō shén me tā jiù biàn shén me
说什么，它就变什么。"

dà liǎn māo shuō xiàn zài tiān hēi le wǒ men yào shuì jiào le
大脸猫说："现在天黑了，我们要睡觉了，

tā zuì hǎo biàn chéng yì dǐng zhàng peng
它最好变成一顶帐篷。"

bái yǔ máo yáo huàng zhe zhēn de biàn chéng le yì dǐng piào liang de
白羽毛摇晃着，真的变成了一顶漂亮的

 中国儿童文学名家名作

zhàngpeng
帐 篷 。

　　 lán pí shǔ hé dà liǎn māo zuān jìn le zhàngpeng　 shū shū fú fú de
　　蓝 皮 鼠 和 大 脸 猫 钻 进 了 帐 篷 ， 舒 舒 服 服 地
shuìzháo le
睡 着 了 。

　　 lán pí shǔ kāi zhe qiǎo kè lì jí pǔ chē　 dà liǎn māo zhàn zài chē
　　蓝 皮 鼠 开 着 巧 克 力 吉 普 车 ， 大 脸 猫 站 在 车
shang　 jǔ zhe bái yǔ máo　 liǎng zhī jiǎ chóng huán rào zhe bái yǔ máo fēi
上 ， 举 着 白 羽 毛 ， 两 只 甲 虫 环 绕 着 白 羽 毛 飞
wǔ　 yǐn de xǔ duō xiǎo dòng wù zhuī zhe kàn　 dà liǎn māo kàn wéi guān de
舞 ， 引 得 许 多 小 动 物 追 着 看 。 大 脸 猫 看 围 观 的
rén duō　 gèng lái jìnr le　 zhèng hǎo qián miàn yǒu yì tiáo hé lán zhù qù
人 多 ， 更 来 劲 儿 了 。 正 好 前 面 有 一 条 河 拦 住 去
lù　 dà liǎn māo shǐ jìnr hǎn　 bái yǔ máo　 bái yǔ máo　 biàn chéng
路 ， 大 脸 猫 使 劲 儿 喊 ：" 白 羽 毛 ， 白 羽 毛 ， 变 成
yì tiáo chuán
一 条 船 。"

　　 zhǎ yǎn jiān　 bái yǔ máo biàn dà le　 biàn chéng le yì tiáo dà
　　眨 眼 间 ， 白 羽 毛 变 大 了 ， 变 成 了 一 条 大
chuán de xíngzhuàng
船 的 形 状 。

　　 qiǎo kè lì jí pǔ chē kāi le shàng qù　 xiǎo dòng wù men yě gēn zhe
　　巧 克 力 吉 普 车 开 了 上 去 ， 小 动 物 们 也 跟 着
shàng le yǔ máochuán
上 了 羽 毛 船 。

　　 yǔ máochuán zài hé lǐ miàn piāo zhe　 dà liǎn māo yǎng liǎn kàn zhe
　　羽 毛 船 在 河 里 面 漂 着 ， 大 脸 猫 仰 脸 看 着

天上的云彩，又大声叫："白羽毛，白羽毛，

变成一条飞毯！"

大脸猫的话刚说完，羽毛船就升上了

天空，变成了一条飞毯。

小动物们坐在飞毯上欢呼。

一朵朵白云从飞毯旁边飘过，大脸猫伸

手去摸白云。

白色的云朵软乎乎的，很好玩。

突然，大脸猫好像摸到了一朵会动的白

云，仔细一看，原来他摸到了一只鸟的脑袋。

一只美丽的大彩鸟跟在飞毯后面，气喘吁

吁地叫："这根白羽毛是我的。"

大脸猫问："怎么证明是你的？"

大彩鸟说："我把羽毛掉在树林里了。"

蓝皮鼠说："是哪片树林？"

大彩鸟说："我带你们去看。"

大彩鸟在前面飞，飞毯跟在后面，飞了一会儿，落到一片树林前面。

蓝皮鼠认出来，这里正是他们昨天晚上发现白羽毛的地方。

蓝皮鼠说："看来这根羽毛真是大彩鸟的，捡到别人的东西应该还给人家。"

大脸猫心里虽然有点儿舍不得，但还是把白羽毛拿了出来，正要递给大彩鸟，突然草丛里响起一个声音："这白羽毛不是她的，是我的！"

小灰鸟瘸着腿走了出来。原来她吃了紫色的果子后，在山谷里睡了一天，第二天醒来，发现尾巴上的白羽毛不见了，大彩鸟也不见了。小灰鸟在草地上跌跌撞撞地走了好长时间，才走到了这儿。

大家一看，啊，这只鸟好丑哇，身体又瘦

又小，全身光秃秃的，没有一根羽毛。

这样丑的鸟怎么会有白羽毛呢？

大脸猫怀疑地问："这白羽毛是你的？"

小灰鸟说："是我的。"

大彩鸟马上说："不对，是我的。"

小灰鸟说："是我的。"

大彩鸟说："是我的。"

"是我的！""是我的！"……两只鸟争执起来。

大脸猫看看这个，又看看那个，皱着眉头说："你说是你的，她说是她的，到底是谁的呢？"

两只鸟又一齐说："是我的，是我的。"

小动物们一齐说："蓝皮鼠，你最聪明，快动动脑筋，分析分析这大白羽毛是谁的。"

蓝皮鼠说："好，我来想一想。"

中国儿童文学名家名作

一听蓝皮鼠要想问题，两只甲虫飞进他的耳朵里。

蓝皮鼠用两根手指飞快地在脑门儿上绕圈，耳朵渐渐由蓝变粉变红。两只甲虫屁股冒烟地从他耳朵里飞出来，一齐叫："好热，好热，热得我们屁股都冒烟了，你一定想出来了吧？"

大彩鸟也赶紧说："我早就听说您是最聪明的人。"

蓝皮鼠望望白羽毛，又望望小灰鸟："这根羽毛好大好大，你的个子好小好小。你这样小的身体怎么会有这样大的羽毛呢？"

大彩鸟在旁边马上满脸堆笑地恭维蓝皮鼠说："您说得真是对极了。"

蓝皮鼠又望着小灰鸟说："而且，我看你身上没有一根羽毛，那大白羽毛怎么会是你

de ne
的呢？"

xiǎo huī niǎo hēnghēng jī jī kě kě jiù shì wǒ de
小灰鸟哼哼唧唧："可，可就是我的。"

lán pí shǔ shuō zhè zhī dà cǎi niǎo shēn shang yǒu nà me duō měi
蓝皮鼠说："这只大彩鸟身上有那么多美

lì de yǔ máo zhè měi lì de bái yǔ máo yě yí dìng shì tā de
丽的羽毛，这美丽的白羽毛也一定是她的。"

dà cǎi niǎo gāo xìng de gōng wéi lán pí shǔ shuō nín shì wǒ pèng
大彩鸟高兴地恭维蓝皮鼠说："您是我碰

jiàn guo de shì jiè shang zuì zuì cōngmíng de rén
见过的世界上最最聪明的人。"

dà cǎi niǎo shuō zhe bǎ bái yǔ máo cóng dà liǎn māo shǒu zhōng ná
大彩鸟说着，把白羽毛从大脸猫手中拿

guò lái fàng zài zì jǐ wěi ba shang
过来，放在自己尾巴上。

wěi ba dài zhe dà bái yǔ máo de dà cǎi niǎo biàn de gèng měi
尾巴带着大白羽毛的大彩鸟变得更美

lì le
丽了。

dà liǎn māo kàn zhe dà cǎi niǎo shuō shì tǐng xiàng nǐ de yǔ
大脸猫看着大彩鸟说："是挺像你的羽

máo de
毛的。"

xiǎo huī niǎo shāng xīn de kū jiào zhe shì tā bǎ wǒ de yǔ máo
小灰鸟伤心地哭叫着："是她把我的羽毛

ná zǒu le wū wū
拿走了，呜呜……"

dà liǎn māo shuō nà bú shì nǐ de yǔ máo
大脸猫说："那不是你的羽毛。"

这时，从草丛里蹦出了一只青蛙，说：

"你们给错了。白羽毛就是小灰鸟的。"

六

大脸猫问青蛙："你怎么知道白羽毛是小灰鸟的？"

青蛙说："我亲眼看见小灰鸟救了一个老爷爷，老爷爷给了她这根神奇的羽毛。"

他继续说道："大彩鸟是骗子，她把白羽毛骗走了。"

蓝皮鼠不相信地自语："难道我**判断**错了？"

两只甲虫听了，忙闻闻自己的身体。他们俩一齐皱着眉头，吸溜着鼻子说："我们身上都有馊味了，一定是你想错了。蓝皮鼠一想错了，我们身上就有一股馊味。"

大脸猫正要向大彩鸟要回白羽毛，大彩鸟拿着白羽毛急忙说："白羽毛，赶快变成一把大扇子。"

白羽毛变成了一把大扇子。

大彩鸟使劲儿一扇大扇子，刮起了一股大风，把所有小动物都刮到了草地的另一边。

大彩鸟又对白羽毛说："白羽毛变小，变得像小树叶一样小。"

白羽毛变小了，大彩鸟把小白羽毛放进嘴巴里："我把它藏在嘴巴里，这回谁也拿不走了。"

七

大脸猫说："怎么办？大彩鸟把白羽毛骗走了，她会把白羽毛变成大扇子，我们根本接近不了她。"

蓝皮鼠对两只甲虫说:"快飞进我的耳朵里,我来想办法。"

两只甲虫忙说:"你可别又想馊主意,让我们身上更有馊味。"

蓝皮鼠说:"不会,这回我一定想出好主意。"

等两只甲虫屁股冒烟地从蓝皮鼠耳朵里飞出来,蓝皮鼠兴奋地叫:"我们来做一个彩色的大羽毛。"说着从巧克力吉普车上拿下许多颜料瓶来。蓝皮鼠和大脸猫用彩笔蘸着颜料给一个纸做的大假羽毛涂颜色。

五颜六色的大彩羽毛做成了,蓝皮鼠把大彩羽毛插在小灰鸟的尾巴上。

大脸猫担心地问:"大彩鸟会来吗?"

蓝皮鼠说："肯定会的。凡是爱占别人便宜的人总是特别**贪心**的。"

草地上，小灰鸟尾巴上插着大彩羽毛走着。大彩羽毛在阳光下闪着美丽的光泽。

飞在空中的大彩鸟被吸引了，她一边飞着，一边**小心翼翼**地往下看，看见附近除去小灰鸟再没有别人，她放心了，慢慢地落下来，落到小灰鸟身旁。

大彩鸟问："你从哪儿弄来这么美丽的羽毛？"

小灰鸟说："老爷爷给我的。"

大彩鸟问："这根彩色羽毛有什么用啊？"

小灰鸟说："老爷爷不让我告诉你。"

大彩鸟一听，更觉得这彩色的羽毛是宝贝了，心想："我一定要把这根彩色羽毛骗到手。"

大彩鸟费尽脑筋地想着坏主意，一点儿也没注意到，两只甲虫悄悄地从草丛里飞出来，落到了她的身上。

大彩鸟想出了坏主意，她从嘴巴里吐出白羽毛。白羽毛变大了。

大彩鸟拿着白羽毛，她刚想让白羽毛变成一把大剪刀，剪断彩色的大羽毛，两只甲虫已经抢先落到了白羽毛上，一起大声喊："白羽毛，快变成大绳子，把大彩鸟绑起来。"

眨眼间，白羽毛变成了一条绳索，紧紧地缠住了大彩鸟的翅膀。她一点儿也动不了啦。

蓝皮鼠、大脸猫从草丛下钻了出来。他们把大彩鸟身上的绳索解开。

大彩鸟羞愧地飞走了。

白羽毛重新回到了小灰鸟手里。

小灰鸟说："这回我一定要把白羽毛藏好。"她望着自己光秃秃的身体，发愁地说，"可把它藏在哪儿好呢？"

蓝皮鼠对小灰鸟说："既然白羽毛什么都可以变，你为什么不让它变成你身上的羽毛呢？"小灰鸟高兴地说："对呀，我以前怎么就没想到呢？"

大家围着小灰鸟一起唱："白羽毛，白羽毛，变成小灰鸟的羽毛。"白色的羽毛在小灰鸟的头上飘着，慢慢地落下来，盖在了她的

^{shēnshang}
身上。

xiǎo huī niǎo biàn le   biàn chéng le yì zhī hún shēn pī mǎn cǎi sè yǔ
小灰鸟变了，变成了一只浑身披满彩色羽

máo de niǎo   tā zhāng kāi le chì bǎng   kuài huo de fēi shàng le tiān kōng
毛的鸟，她张开了翅膀，快活地飞上了天空。

阅读心得

　　小灰鸟虽然力量有限，但是她愿意尽力而为去帮助别人；大彩鸟外表虽然美丽，内心却十分丑陋，她不仅自私、虚荣，而且霸道。小灰鸟和大彩鸟形成了鲜明的对比。小朋友们要记住，善良是一种美德，一定要做善良的孩子。

蓝皮鼠、大脸猫和老树

lán pí shǔ dà liǎn māo hé lǎo shù

yī

一

tiān hǎo rè　　lán pí shǔ hé dà liǎn māo kāi zhe qiǎo kè lì jí pǔ
天好热。蓝皮鼠和大脸猫开着巧克力吉普

chē zài huāngliáng de huáng tǔ dì shang zǒu
车在**荒凉**的黄土地上走。

méi yǒu yì kē shù　　méi yǒu yì zhū cǎo　　tóu dǐngshang de tài yáng
没有一棵树，没有一株草。头顶上的太阳

huǒ là là de kǎo zhe
火辣辣地烤着。

tā men tóu shang dōu mào chū hàn lái　　dà liǎn māo cā zhe liǎn shang
他们头上都冒出汗来。大脸猫擦着脸上

的汗，不住地嘟囔着："好热呀。"

突然，"砰"的一声，一个巧克力轮胎被烤得爆开了。

破碎的轮胎崩开来，正落到大脸猫的脸上。

大脸猫用手去摸脸上的巧克力轮胎皮，放在嘴里舔了舔，欢喜地叫："啊，巧克力！"

大脸猫把一大块巧克力轮胎皮放到嘴里吃了。

"砰"的一声，另一个巧克力轮胎爆开了，又崩到了大脸猫脸上。

大脸猫高兴地叫："啊，又来一大块巧克力！"

蓝皮鼠惊叫道："糟糕，轮胎坏了。"他跳下车，看着损坏的车轮，对大脸猫说："快把车胎拿来，看看能不能补上。"

大脸猫拿着吃了一半的巧克力轮胎，不好意思地说："糟糕，都让我吃了一半了。"

四周一个人都没有，蓝皮鼠和大脸猫抬着巧克力吉普车往前走，累得"呼哧呼哧"直喘。

路边有一个干涸的喷泉，还有一段枯干的老树桩。

蓝皮鼠说："我有办法啦。瞧，老树桩！"

大脸猫说："老树桩有什么用？"

蓝皮鼠说："咱们可以用它做四个木车轮。"

大脸猫高兴地说："咦，你这主意可不错！"

二

蓝皮鼠和大脸猫从巧克力吉普车上拿出锯

zi lái
子来。

bù yí huìr   sì gè yuányuán de mù chē lún zuò chéng le   mù
不一会儿，四个圆圆的木车轮做成了。木
chē lún shang yǒu yì quān yì quān de nián lún   jiù xiàng shì hǎo kàn de mù
车轮上有一圈一圈的年轮，就像是好看的木
tou chàngpiàn
头唱片。

lán pí shǔ jià shǐ zhe qì chē zǒu zhe   mù chē lún zhuàn zhe   fā
蓝皮鼠驾驶着汽车走着，木车轮转着，发
chū le   dīng líng líng   dīng líng líng   de fēng líng shēng
出了"丁零零，丁零零"的风铃声。

dà liǎn māo wèn   shén me shēng yīn   zhè yàng hǎo tīng
大脸猫问："什么声音，这样好听？"

lán pí shǔ shuō   hǎo xiàng shì mù chē lún fā chū de shēng yīn
蓝皮鼠说："好像是木车轮发出的声音。
zhēn qí guài   zhè mù chē lún huì xiàng fēng líng yí yàng xiǎng
真奇怪，这木车轮会像风铃一样响。"

mù chē lún zhuàn zhe   jì xù fā chū měi miào de fēng líng shēng
木车轮转着，继续发出美妙的风铃声：
dīng líng líng   dīng líng líng   dīng líng líng
"丁零零，丁零零，丁零零……"

yì zhī mì fēng fēi lái le   zhuī zhú zhe mù chē lún jiào zhe   fēng
一只蜜蜂飞来了，追逐着木车轮叫着："风
líng yòu xiǎng le
铃又响了。"

yì zhī hú dié fēi lái le   zhuī zhú zhe mù chē lún jiào zhe   fēng
一只蝴蝶飞来了，追逐着木车轮叫着："风
líng yòu xiǎng le
铃又响了。"

yì zhī xiǎo niǎo fēi lái le   zhuī zhú zhe mù chē lún jiào zhe   fēng
一只小鸟飞来了，追逐着木车轮叫着："风

líng yòu xiǎng le
铃又响了。"

dà liǎn māo gāo xìng de jiào mì fēng hú dié xiǎo niǎo dōu zài
大脸猫高兴地叫:"蜜蜂、蝴蝶、小鸟都在

zhuī wǒ men de mù chē lún ne
追我们的木车轮呢。"

yì zhī xiǎo sōng shǔ pǎo lái le yì zhī xiǎo tù zi pǎo lái le
一只小松鼠跑来了,一只小兔子跑来了,

yì zhī xiǎo lù yě pǎo lái le dà jiā yì qí zhuī zhú zhe mù chē lún jiào
一只小鹿也跑来了,大家一齐追逐着木车轮叫

zhe fēng líng yòu xiǎng le
着:"风铃又响了。"

dà liǎn māo gāo xìng de jiào zhè me duō xiǎo dòng wù dōu zhuī wǒ
大脸猫高兴地叫:"这么多小动物都追我

men de mù chē lún ne
们的木车轮呢。"

liǎng zhī jiǎ chóng yě cóng lán pí shǔ de ěr duo li fēi
两只甲虫也从蓝皮鼠的耳朵里飞

chū lái
出来。

088

金甲虫说:"哪儿来的这么好听的风铃声?"

绿甲虫说:"大家都来听风铃声了。"

蓝皮鼠把巧克力吉普车停了下来,小动物们立刻围了过来。

蓝皮鼠问:"你们怎么这样爱听木车轮的风铃声?"

小动物们一齐说:"因为那是神奇的老树唱的歌。"

小鹿伤心地讲起了神奇的老树的故事……

三

小鹿告诉蓝皮鼠和大脸猫:"原来这儿一点儿也不荒凉。因为这儿有一棵神奇的老树,长满绿叶的老树上挂着许多金色的风铃。金色的风铃在风中摇摆着,发出'丁零零,丁零零'的声音,就像唱着一首好听

de gē
的 歌。

shù xià de yīn yuè pēn quán yì tīng dào fēng líng de xiǎng shēng
"树下的音乐喷泉一听到风铃的响声，

lì kè huì pēn chū shuǐ lái
立刻会喷出水来。

quán shuǐ zī rùn zhe dì miàn   xiǎo cǎo zhǎng chū lái le   xiǎo huā
"泉水滋润着地面，小草长出来了，小花

zhǎng chū lái le   huā cǎo zhǎng de yuè lái yuè duō   zhèr   biàn chéng le
长出来了，花草长得越来越多，这儿变成了

yí zuò měi lì de dà huā yuán
一座美丽的大花园。

xiǎo niǎo fēi lái le   hú dié fēi lái le   xiǎo dòng wù men dōu
"小鸟飞来了，蝴蝶飞来了，小动物们都

dào zhèr lái le
到这儿来了。

kě shì yǒu yì tiān   zhèr   kāi lái yí liàng kǎ chē
"可是有一天，这儿开来一辆卡车。

liǎng gè pàng pàng de jiā huo yòng diàn jù bǎ lǎo fēng líng shù jù
"两个胖胖的家伙用电锯把老风铃树锯

duàn le   zhǐ shèng xià yí duàn ǎi shù zhuāng
断了，只剩下一段矮树桩。

dà kǎ chē bǎ cū cū de shù gàn lā zǒu le   niǎn suì le luò
"大卡车把粗粗的树干拉走了，碾碎了落

zài dì shang de fēng líng
在地上的风铃。

lǎo fēng líng shù bú zài le   méi yǒu le fēng líng de gē   pēn
"老风铃树不在了，没有了风铃的歌，喷

quán bù chū shuǐ le   huā cǎo shù mù yě dōu zǒu le   zhèr biàn de yí
泉不出水了，花草树木也都走了，这儿变得一

piàn huāng liáng
片荒凉……"

蓝皮鼠和大脸猫回到枯干的老树桩旁边。

大脸猫说:"要是老风铃树还在就好了。"

两只甲虫对蓝皮鼠说:"你快想个办法。"

蓝皮鼠使劲儿用手指在脑门儿前面绕圈,绕了半天也没想出来。他不好意思地说:"没有你们在我耳朵里,我想不出来。"

两只甲虫一起叫:"看来我们只好再被烧两次屁股了。"说完飞进蓝皮鼠的耳朵里。

蓝皮鼠用两根手指在脑门儿前面绕着转圈,他的耳朵渐渐由蓝变粉变红。两只甲虫屁股冒烟地从他耳朵里飞出来,一齐叫:"好热,好热,热得我们屁股都冒烟了。"

大脸猫忙问:"你想出让老风铃树复活的办法了吗?"

蓝皮鼠望着老树桩说："你们看，它的年轮像什么？"

大家看着，一齐说："像唱片。"

蓝皮鼠说："也许放在电唱机上，它真的能唱出歌来呢。"

蓝皮鼠把树纹唱片放在一台电唱机上。

唱针一转，它真的发出了风铃的声音。

大脸猫高兴地叫："老树唱片真的唱歌了。"

随着唱片中风铃声的响起，旁边的音乐喷泉突然喷出了一小股水流，一下子落在大脸猫头上，把大脸猫淋成了个落汤鸡。

大脸猫叫："啊，音乐喷泉也喷水了！"

两只甲虫说："可惜，这音乐声太小了，才有一点儿泉水。"

蓝皮鼠叫："我有办法了。我们可以让许多

中国儿童文学名家名作

chàng piàn yì qǐ chàng　　dà jiā yì qí dòng shǒu　　bǎ lǎo shù zhuāng zuò
唱片一起唱。"大家一齐动手，把老树桩做

chéng yì zhāng zhāng shù wén chàng piàn　　zhè xiē chàng piàn fàng zài dì shang jiù
成一张张树纹唱片，这些唱片放在地上就

xiàng yí piàn piàn yuán yuán de dà hé yè
像一片片圆圆的大荷叶。

dà liǎn māo zhòu zhe méi tóu shuō　　zhè me duō chàng piàn　　kě
大脸猫皱着眉头说："这么多唱片，可

diàn chàng jī zhǐ yǒu yì tái
电唱机只有一台。"

hái shi lán pí shǔ cōng míng　　tā dài
还是蓝皮鼠聪明，他带

lǐng dà jiā chuān shàng liǎng zhī gǎi zhuāng hòu dài
领大家穿上两只改装后带

yǒu chàng zhēn de xié　　xiàng huá bīng yí yàng
有唱针的鞋，像滑冰一样，

zài yì zhāng zhāng shù wén chàng piàn shang huá lái
在一张张树纹唱片上滑来

huá qù
滑去。

dì shang de chàng piàn yì qí fā chū shēng yīn hěn xiǎng hěn
地上的唱片一齐发出声音，很响很

xiǎng pēn quán pēn chū le gāo gāo de shuǐ liú cóng kōng zhōng sǎ luò
响。喷泉喷出了高高的水流，从空中洒落

xià lái
下来。

xiǎo cǎo xiǎo huā cóng tǔ li zuān chū lái le
小草、小花从土里钻出来了。

dà liǎn māo kàn jiàn lǎo shù zhuāng shang mào chū yì kē xiǎo lù yá
大脸猫看见老树桩上冒出一棵小绿芽，

tā gāo xìng de jiào
他高兴地叫：

ā lǎo fēng líng shù yě bèi zì jǐ de gē shēng huàn xǐng le
"啊，老风铃树也被自己的歌声唤醒了，

tā yòu fā yá la
它又发芽啦！"

wǔ
五

pēn quán de shuǐ jiāo zài xiǎo lù yá shang xiǎo lù yá yì diǎnr yì
喷泉的水浇在小绿芽上，小绿芽一点儿一

diǎnr zhǎng gāo hěn kuài zhǎng chéng le yì kē lù shù
点儿长高，很快长成了一棵绿树。

xiǎo dòng wù men dōu pǎo lái kàn le
小动物们都跑来看了。

dà liǎn māo shuō nǐ men kàn lǎo shù yòu zhǎng chū lái le
大脸猫说："你们看，老树又长出来了。"

xiǎo dòng wù men yì qǐ yáo tóu bú xiàng bú xiàng
小动物们一起摇头："不像，不像。"

xiǎo lù shuō lǎo shù shang guà mǎn le fēng líng zhè kē shù shang
小鹿说："老树上挂满了风铃，这棵树上

一个风铃也没有。”

小兔子说:“老树懂得人的感情,会像人一样地唱歌。这棵树什么也不会。”

蓝皮鼠说:“我来试试,看它能不能听懂我的话。”

蓝皮鼠对着绿树大声喊:“绿树,你真漂亮,你是世界上最美最美的树。”

绿树轻轻地摇晃着,满树的绿叶慢慢地变成了粉色,又变成了红色。整棵树的树枝微微低垂,树叶中间出现了两个金色的风铃。

蓝皮鼠高兴地叫:“你们看,绿树害羞了,听见我夸奖它,它不好意思了。”

小动物们也一齐叫:“树上出现风铃了。”

大脸猫忙说:“我也来试试。”他只顾向

上看，不小心踩到了蓝皮鼠的鞋上，脚被唱针扎了，疼得他一屁股坐在地上，哭哭咧咧，哼哼唧唧，"妈呀，疼，疼死我啦……"

大脸猫咧着嘴大哭，**泪如泉涌**。

蓝皮鼠指着红色的树叫："快看，快看，树也跟着伤心啦。"

果然，树慢慢地摇晃着，满树的叶子在改变颜色，在一点儿一点儿地由红色变成粉色，又一点儿一点儿地变成绿色，变成蓝色。树冠低垂着，还发出低低的叹息声。

大家都跟着喊："树也跟着伤心啦。"

一大滴亮亮的泪珠从树上落下来，正好落在大脸猫的脸上。

大脸猫看了，也顾不得哭了，他仰起脸来，高兴地叫："快看，树上的风铃又多了。"

树叶中间真的又出现了四个金色的风铃。

这时候，后面突然传来了叫嚷的声音，原来小山羊不小心踩了小猴子的脚，小猴子抓了小山羊一把，他俩吵架了。

蓝皮鼠急忙叫："别吵了，别吵了。你们看，树看你们吵架都生气了。"

果然，树的叶子渐渐地由蓝变灰，有两片叶子变得枯黄，慢慢地从树上落下来，一个风铃也从树上掉了下来。

小猴子和小山羊都不好意思地说："我们以后再也不吵架了。"

蓝皮鼠和大脸猫表演杂技，这是专门给树来表演的。

小动物们也手拉手围着树跳舞、唱歌。

一个个金色的风铃从树叶中间长出来了，

dīng líng líng   dīng líng líng   de xiǎng zhe   fēng líng lǎo shù yòu chàng qǐ le

"丁零零，丁零零"地响着，风铃老树又唱起了

huān lè de gē

欢乐的歌。

阅读心得

　　人与自然应该和谐相处，我们对身边的一草一木都要爱护。我们只有保持生态平衡，才能让地球妈妈更加健康。如果所有老树都不再唱歌，那么世界就成了一片荒漠。让我们向聪明的蓝皮鼠和大脸猫学习吧，动动脑筋，拯救每一棵老树。

日 积 月 累

近义词：带领——率领	反义词：损坏——保护

蓝皮鼠、大脸猫和小·象
lán pí shǔ   dà liǎn māo hé xiǎo xiàng

yī
一

lán pí shǔ hé dà liǎn māo   nǐ men yí dìng zhī dào
蓝皮鼠和大脸猫，你们一定知道。

dà liǎn māo liǎn dà de chū qí   xiàng yuè liang   xiàng dà yuán
大脸猫脸大得出奇，像月亮，像大圆

pán   tè bié shì chuī niú pí de shí hou   liǎn néng zhàng dà sì wǔ bèi
盘，特别是吹牛皮的时候，脸能胀大四五倍。

tā zuì xǐ huan shuō de huà jiù shì   xiǎng dāng chū   wǒ liǎn bú dà
他最喜欢说的话就是："想当初，我脸不大

shí   kě yīng jùn le
时，可英俊了。"

这你可别信，大脸猫的脸从来就没小过。

他刚生下来时，他妈妈只看见他一张大脸，伤心得都哭了："哎哟，我的可怜的小宝贝怎么光有一张脸，没有身体呀？"找了半天才发现，他的身体瘦得像小尾巴，在下巴底下藏着呢。

你瞧，他的脸大吧？

大脸猫小时候的口碑不太好：爱哭、馋嘴、尿床、拉裤裆……现在可出息多了，他会憋气，看见狼来了，他闭住嘴巴，使劲儿一憋气，啊，光是鼻头就胀得像足球大，打出的大喷嚏很吓人，能把大狼崩上天空。

蓝皮鼠是蓝色的，光滑的皮毛像蓝缎子，他是世界上最有名的杂技大师。最妙的是，他的两只大耳朵里，各住着一只甲虫，一只绿色的会拉小提琴，一只金黄色的会唱歌。

蓝皮鼠和大脸猫组成的"魔星杂技团"顶棒顶棒,他们开着一辆巧克力做的吉普车,走遍全世界,到处演出杂技。

"嘀嘀嘀——"巧克力吉普车正往前开,突然看见前面有一头小象。小象长得真可爱,两只耳朵又圆又大,背上还有一个漂亮的电话机。可是,他塌陷在泥潭里出不来了,脸和鼻子黑黑的,身上沾了许多泥巴。

"快救救我吧!"小象呜呜地哭叫。

许多小动物都想帮助他,可是小象的身体太重,怎么也拉不上来,大家眼看他在泥潭里越陷越深。

蓝皮鼠说:"别着急,我来想办法。"他用两根手指在脑门儿上绕圆圈,绕哇绕,绕得脑袋都发热,耳朵都变颜色了,由蓝变粉变红。

wēng wēng wēng　　　　liǎng zhī jiǎ chóng pì gu mào yān de cóng
"嗡嗡嗡……"两只甲虫屁股冒烟地从

tā ěr duo li fēi chū lái　yì qí jiào　　hǎo rè　　hǎo rè　　rè de
他耳朵里飞出来，一齐叫："好热，好热，热得

wǒ men pì gu dōu mào yān le
我们屁股都冒烟了。"

lán pí shǔ mángshuō　　duì bu qǐ　wǒ zài dòng nǎo zi　suí
蓝皮鼠忙说："对不起，我在动脑子。"随

jí tā gāo xìng de jiào　wǒ xiǎng chū hǎo bàn fǎ lái le
即他高兴地叫："我想出好办法来了！"

lán pí shǔ ràng dà jiā tái lái yí gè qiāoqiāo bǎn
蓝皮鼠让大家抬来一个跷跷板。

lán pí shǔ ràng xiǎo xiàng lā zhù qiāoqiāo bǎn de yì biān　tā hé dà
蓝皮鼠让小象拉住跷跷板的一边，他和大

liǎn māo zuò zài qiāoqiāo bǎn lìng yì biān　shǐ jìnr　wǎng xià yā
脸猫坐在跷跷板另一边，使劲儿往下压。

bù xíng　xiǎo xiàng tài zhòng　qiāoqiāo bǎn yā bu qǐ lái
不行，小象太重，跷跷板压不起来。

xiǎo gǒu　　xiǎo yáng　　xiǎo zhū yě lái bāngmáng　tiào dào qiāoqiāo bǎn
小狗、小羊、小猪也来帮忙，跳到跷跷板

shang　hái shi yā bu qǐ lái
上，还是压不起来。

lán pí shǔ jiào　kuài bǎ qiǎo kè lì jí pǔ chē yě tái shàng lái
蓝皮鼠叫："快把巧克力吉普车也抬上来。"

qiǎo kè lì jí pǔ chē yě bèi fàng dào le qiāoqiāo bǎn shang　kě hái
巧克力吉普车也被放到了跷跷板上，可还

shi yā bu qǐ lái
是压不起来。

zhè huí kě méi bàn fǎ le　　dà liǎn māo zhòu zhe méi tóu
"这回可没办法了。"大脸猫皱着眉头，

róu zhe bí zi　bǎ yí gè xiǎochóng róu jìn le bí kǒng
揉着鼻子，把一个小虫揉进了鼻孔。

"阿——嚏！"大脸猫打了一个大喷嚏。

好厉害的喷嚏呀，一下子把树上的苹果全打下来了。

一个个大苹果落在小动物们的手上。

哈！这回跷跷板被压起来了。

二

小象被救出来了，他对蓝皮鼠和大脸猫说："谢谢你们救了我。我跟你们在一起，可以帮助你们驮东西。"

蓝皮鼠问："你背上的电话可以用吗？"

小象吞吞吐吐地说："可以呀，就是……"

他的话还没说完，大脸猫说："我来试试，我给我爸爸打一个电话。"他从小象的背上拿起话筒，随便按了一个号码。

"噗噗噗……"从话筒里喷出了好多香喷

pēn de xiǎo miàn bāo
喷的小面包。

　　　　dà liǎn māo de yǎn jing dōu dèng yuán le　　tā mǎ shàng shuō　　wǒ
　　大脸猫的眼睛都瞪圆了，他马上说："我
zài gěi wǒ mā ma dǎ gè diàn huà　　　tā yòu àn le yí gè hào mǎ
再给我妈妈打个电话。"他又按了一个号码。

　　　　pū pū pū　　　　　cóng diàn huà li pēn chū le wǔ yán liù sè
　　"噗噗噗……"从电话里喷出了五颜六色
de táng guǒ
的糖果。

　　　　dà liǎn māo bù tíng de shuō　　wǒ gěi wǒ nǎi nai dǎ gè diàn huà
　　大脸猫不停地说："我给我奶奶打个电话，
gěi wǒ yé ye　　　gěi wǒ shū shu　　gěi wǒ bó bo　　　gěi wǒ gū gu
给我爷爷、给我叔叔、给我伯伯、给我姑姑、
gěi wǒ jiù jiu　　gěi
给我舅舅、给……"

　　　　dà liǎn māo nǎr　　yǒu nà me duō qīn qi ya　　　tā zài xiā biān
　　大脸猫哪儿有那么多亲戚呀！他在瞎编，
hǎo bù tíng de àn diàn huà hào mǎ
好不停地按电话号码。

"噗噗噗，噗噗噗……"从话筒里不停地往外冒好吃的冰激凌、美丽的玩具、鲜艳的花朵。

大脸猫开心极了，他对小象说："你不用帮我们背东西，你就当我们的电话员吧。我们对外联系的业务太多，一天至少要打一千个电话。"

三

深蓝的天空挂着弯弯的月牙，小星星眨着眼睛。

夜晚很安静，小花睡了，小草睡了，蓝皮鼠和大脸猫睡了，小象也趴在地上睡了。

突然，小象的一只耳朵动了一下，从里面钻出了一个小黑影子。这是一个很丑的小妖怪，头上长着两只角，尖鼻子，留着一撮山

yáng hú zi
羊胡子。

　　xiǎo yāo guài qiāo qiāo de cóng xiǎo xiàng bèi shang huá xià lái　　niè shǒu
　　小妖怪悄悄地从小象背上滑下来，蹑手

niè jiǎo de liū dào qiǎo kè lì jí pǔ chē páng biān　　tā dǎ kāi jí pǔ
蹑脚地溜到巧克力吉普车旁边。他打开吉普

chē de chē dēng　　wǎng chē dēng li dào le yì xiǎo píng hēi sè de yào shuǐ
车的车灯，往车灯里倒了一小瓶黑色的药水，

　jī jī　　de xiào zhe shuō　　　děng zhe míng tiān kàn hǎo xì ba
"叽叽"地笑着说："等着明天看好戏吧。"

106

小妖怪又悄悄地溜回了小象的耳朵里。

第二天，小动物们都来看演出了。

"魔星杂技团"的表演真是棒极了：蓝皮鼠摘下魔术帽，从帽子里飞出一只只白色的鸽子；小象用鼻子顶着一个圆圆的球，蓝皮鼠在球上用一根手指头倒立；大脸猫的喷嚏枪准确地击中飘在空中的一个个气球。

"下面，你们将看到最精彩的演出——'空中飞车'！"蓝皮鼠打开了巧克力吉普车的车灯。

车灯射出了一条粉色的光带，吉普车顺着粉色的光带慢慢地开上了天空。

真是太棒了，小动物们都鼓起掌来。

蓝皮鼠开着吉普车，沿着车灯射出的光带往前走，大脸猫开心地用手抓旁边的云彩。

突然车灯灭了，粉色的光带消失了，吉普车从空中往地面坠落。

下面的小动物们都惊叫起来，大脸猫也惊慌失措地叫喊。

"不要慌，快吹气球。"蓝皮鼠递给大脸猫一个大气球。

啊，这回脸大有用了，脸大嘴也大，大脸猫嘴巴鼓鼓的，把大气球吹起来了，吉普车坠落的速度放慢了，总算摆脱了危险，可这么糟糕的表演也够丢脸的。

四

蓝皮鼠和大脸猫很累很累，他们躺在草地上睡着了，小象也卧在草地上睡着了。

四周静悄悄的，没有一个人。

这时候，小象的大耳朵又被掀开了，小妖怪从小象的耳朵里钻出来，他"叽叽"地奸笑着说："我给他们吃点儿苦头，他们就会赶走小象了。小象就只好跟着我了。"

小妖怪拿起电话机的话筒，打开话筒的盖子，把两颗小药丸放了进去，盖好盖子后，又悄悄地钻回小象的耳朵里。

睡过午觉，蓝皮鼠、大脸猫、小象都醒了。

大脸猫说："快打电话，让话筒里喷出好吃的东西。"

蓝皮鼠抓起话筒，按了一串号码。

"噗噗噗……"话筒里喷出了黑色的烟雾，呛得他们都拼命咳嗽起来。

"一定是打错了，再重拨一遍号码。"

蓝皮鼠说着又把号码重新拨了一次，这次更不得了，从话筒里喷出的是辣椒水，辣得蓝皮鼠和大脸猫直流眼泪。

再看小象，他的眼睛也被辣得红红的，不停地咳嗽。

五

"怎么这两天老出倒霉的事呀？"大脸猫说。

小象叹了口气道："以前不管我和谁在一起，也老让他们倒霉，所以大家都不理我。你们让我走吧！"说着，低着头，慢慢地走了。

小象孤独地在树林里走着，伤心地流出了眼泪。突然他听到后面有吉普车的声音，是蓝皮鼠和大脸猫追上来了。

"别伤心了，我们帮助你。"大脸猫说，"我们帮你把捣鬼的坏蛋找出来。"

"怎么找哇？"小象问。

"夜晚睡觉，我们轮流值班，今天我不

中国儿童文学名家名作

睡。"蓝皮鼠说。

月亮躲到云彩后面去了，天黑黑的，只有萤火虫在草丛里一闪一闪的，像黄色的小灯笼。

大脸猫睡得很香，打着很响的呼噜。小象也卧在草丛里安静地睡着。只有蓝皮鼠睁大眼睛，悄悄地躲在吉普车后面。

小象的耳朵微微动了一下，从耳朵缝里露出一双小眼睛。小妖怪正躲在小象耳朵里，偷偷向外张望。他看见了大脸猫，可没看见蓝皮鼠。

小妖怪想："蓝皮鼠一定藏在哪儿偷看我呢，我偏不出去。"

小妖怪多狡猾呀，他藏在小象耳朵里，一直不出来。这天晚上，什么事情也没有发生。

liù
六

dì èr tiān　　lún dào dà liǎn māo zhí bān le　　lán pí shǔ hé xiǎo
第二天，轮到大脸猫值班了。蓝皮鼠和小

xiàng shuì zháo le
象睡着了。

dà liǎn māo yǎn jing zhēng de dà dà de　　zài cǎo dì shang zǒu
大脸猫眼睛睁得大大的，在草地上走

lái zǒu qù　　kàn zhe tiān shàng de yuè liang　　shuō　　wǒ jīn tiān yí
来走去，看着天上的月亮，说："我今天一

dìng yào zhuō zhù huài dàn　　kě shì zhǐ guò le yí huìr　　tā jiù yǒu
定要捉住坏蛋。"可是只过了一会儿，他就有

xiē kùn le
些困了。

zài kùn wǒ yě bù néng shuì　　wǒ yào xiàng lán pí shǔ yí yàng
"再困我也不能睡。我要像蓝皮鼠一样，

112

想出一个不睡觉的聪明办法来。"他学着蓝皮鼠的样子用手指在脑门儿上使劲儿转圈，转得眼睛都冒金星了，也没想出来，他只好把一点儿辣椒水抹在眼皮上。好辣呀，辣得眼泪都流出来了，可这下倒不困了。

就这样，隔一会儿，大脸猫就往眼皮上抹一点儿辣椒水，他的眼睛都快被辣成熊猫眼了。

躲在小象耳朵里的小妖怪可着急了，大脸猫怎么还不睡呀？

小妖怪使劲儿揪自己的鼻头，都把鼻头揪肿了，终于想出一个坏主意来。他悄悄掀开小象的耳朵，把一个小瓶子扔出去。

"咕噜——"小瓶子滚落在草地上。看见大脸猫捡起了小瓶子，小妖怪偷偷乐了。

"这是什么？"大脸猫打开了瓶子，用鼻

蓝皮鼠和大脸猫

113

子闻，"是酒，好香啊！我就尝一点儿。"大脸猫喝了一小口。

"这酒味道不错，我为蓝皮鼠尝一口。"大脸猫又喝了一口。

"我再为小象尝一口。"大脸猫说着，又喝了一口。

喝完，他咂着嘴说："小象嘴大，尝一口不够，应该多尝几口。"于是，大脸猫咕咚咕咚又一连喝了好几大口。

就这样，大脸猫把一瓶酒全喝下了肚，他醉倒了，躺在草地上，"呼呼呼——"睡得好香。

小妖怪大模大样地从小象耳朵里钻出来，得意扬扬地把一个小虫放进了大脸猫的鼻孔里。

蓝皮鼠早上醒来，发现大脸猫还躺在草地上呼呼大睡，直到把一盆水浇在他头上，大脸猫才醒过来。

喝醉了酒，当然不能表演杂技，大脸猫只好老老实实地坐在台下看蓝皮鼠表演。

蓝皮鼠正在半空中表演走钢丝，忽然听到"砰"的一声响。原来大脸猫打了一个很响的喷嚏。

这个喷嚏好厉害，一下子把蓝皮鼠脚下的钢丝打断了，幸亏蓝皮鼠手里拿着一把小伞，他慢慢地落到了树上。

大脸猫还在不停地打喷嚏。"阿嚏，阿嚏……"一个个响亮的喷嚏，打向四面八方，把舞台打坏了，把观众坐的椅子打飞了，把树

mù dōu dǎ dǎo le
木都打倒了。

dà liǎn māo pà zài shāng zháo bié rén　　zhǐ hǎo bǎ liǎn xiàng zhe
大脸猫怕再伤着别人，只好把脸向着
dì miàn
地面。

ā tì　　ā tì　　　　tā de pēn tì bǎ dì miàn dǎ chū
"阿嚏，阿嚏——"他的喷嚏把地面打出
yí gè dà kēng　　zì jǐ de shēn tǐ yě bèi pēn tì fǎn tán dào bàn kōng
一个大坑，自己的身体也被喷嚏反弹到半空
zhōng　　rán hòu zhòng zhòng de luò dào kēng li　　yí gè xiǎo chóng cóng dà
中，然后重重地落到坑里。一个小虫从大
liǎn māo de bí kǒng li tán le chū lái
脸猫的鼻孔里弹了出来。

à　　yuán lái shì zhè ge xiǎo chóng zài dǎo guǐ　　lán pí shǔ
"啊，原来是这个小虫在捣鬼。"蓝皮鼠
hé dà liǎn māo yì qǐ jiào dào
和大脸猫一起叫道。

bā
八

yí dìng shì nǎ ge huài jiā huo chèn wǒ zuì jiǔ shí　　bǎ xiǎo chóng
"一定是哪个坏家伙趁我醉酒时，把小虫
fàng jìn wǒ bí kǒng li de　　　　dà liǎn māo hòu huǐ de shuō
放进我鼻孔里的。"大脸猫后悔地说。

nà ge huài jiā huo dào dǐ cáng zài nǎr　　ne　　xiǎo xiàng zhòu
"那个坏家伙到底藏在哪儿呢？"小象皱
zhe méi tóu shuō
着眉头说。

wǒ lái xiǎng zhǎo chū tā de bàn fǎ　　lán pí shǔ shuō zhe bǎ
"我来想找出他的办法。"蓝皮鼠说着把

中国儿童文学名家名作

手指放在自己的脑门儿上使劲儿绕圈，绕哇绕，绕得脑袋都发热，耳朵都变颜色了，由蓝变粉变红。

"嗡嗡嗡……"两只甲虫屁股冒烟地从他耳朵里飞出来，一齐叫："好热，好热，热得我们屁股都冒烟了。"

蓝皮鼠高兴地说："我想出办法来了。今天晚上，你值班的时候，还要睡觉。"

大脸猫不好意思地说："那怎么能行？昨天晚上，我就是因为睡觉，耽误了事。"

蓝皮鼠说："可以让两只甲虫躲进你的耳朵里，帮助值班。"

两只甲虫一起摇头说："不行，不行，大脸猫的耳朵里不干净！要是非得去，必须先进行一次大扫除。"

两只甲虫拿着两把小扫帚，飞进了大脸

māo de ěr duo li
猫的耳朵里。

nǐ men cāi　　tā men cóng dà liǎn māo de ěr duo li dǎ sǎo chū le
你们猜，他们从大脸猫的耳朵里打扫出了

shén me dōng xi
什么东西？

liǎng kē táng qiú　　yí kuài qiǎo kè lì　　liǎng zhāng zhé chéng
——两颗糖球，一块巧克力，两张折成

yì juǎn de shí yuán zhǐ bì　　hái yǒu yí dà duī gāng bèngr
一卷的十元纸币，还有一大堆钢镚儿。

lán pí shǔ dà jiào　　nǐ lǎo shuō méi qián　　yuán lái nǐ bǎ qián
蓝皮鼠大叫："你老说没钱，原来你把钱

cáng zài ěr duo li la
藏在耳朵里啦！"

dà liǎn māo bù hǎo yì si de shuō　　wǒ zhè bú shì ná chū lái
大脸猫不好意思地说："我这不是拿出来

le ma
了吗？"

dà liǎn māo de ěr duo bèi qīng lǐ gān jìng le　　lán pí shǔ duì liǎng
大脸猫的耳朵被清理干净了，蓝皮鼠对两

zhī jiǎ chóng qiāo qiāo shuō le xiē huà　　liǎng zhī jiǎ chóng lián lián diǎn tóu
只甲虫悄悄说了些话，两只甲虫连连点头

shuō　　wǒ men jì zhù le
说："我们记住了。"

jīn jiǎ chóng zuān jìn le dà liǎn māo de zuǒ ěr duo　　lù jiǎ chóng
金甲虫钻进了大脸猫的左耳朵，绿甲虫

zuān jìn le dà liǎn māo de yòu ěr duo
钻进了大脸猫的右耳朵。

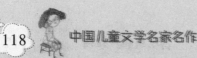

中国儿童文学名家名作

月亮又出来了，小妖怪从小象的耳朵里探出头来，看见蓝皮鼠、大脸猫、小象都在草地上睡觉。小妖怪悄悄地从小象身上滑下来，手里拿着一个小喷雾器，向着蓝皮鼠、大脸猫、小象鼻孔里喷气体。

"哈哈，我在你们鼻子里喷了麻醉药，你们至少要睡一天觉。"小妖怪得意地叫着，高兴得手舞足蹈，他一点儿也没有注意到，两只甲虫从大脸猫的耳朵里飞出来。一只甲虫飞进了小妖怪的左耳朵，一只甲虫飞进了小妖怪的右耳朵。

小妖怪跳上了巧克力吉普车，得意地说："我把他们的吉普车偷走，那两个傻家伙一定以为是小象干的坏事，会把小象赶走。大家都

不理小象了，小象就会乖乖地跟我走，他背上的电话机就属于我一个人啦。"

"嘀嘀嘀——"小妖怪把巧克力吉普车开走了。

十

第二天中午，小象醒来，发现巧克力吉普车丢了。可蓝皮鼠和大脸猫还在睡觉。

小象担心地想："他们一定以为是因为我才丢了吉普车的。"他想离开，可又一想，"就这样走，多没礼貌哇！"

小象留了下来，一直到下午，蓝皮鼠和大脸猫才醒来。

小象告诉他们："巧克力吉普车丢了。"

大脸猫使劲儿捅捅自己的耳朵说："金甲虫和绿甲虫也丢了。"

蓝皮鼠却笑嘻嘻地说："你们跟我走。"

他们在树林里走了一段路，突然听到了小提琴的声音。

大脸猫叫："是绿甲虫在拉小提琴。"

树林里面，小妖怪正得意扬扬地跳着舞，也听到了小提琴的声音。

"咦，这是哪儿来的小提琴声，怎么这样响啊？"小妖怪一点儿也不知道，绿甲虫正在他耳朵里拉小提琴呢。

蓝皮鼠和大脸猫顺着小提琴声找来了，小妖怪一看见他们，跳上吉普车，想开车跑。这时候他的另一只耳朵里响起了大声的叫喊，那是金甲虫在唱歌。他的声音震耳欲聋，震得小妖怪好难受，几乎要晕倒。小妖怪忙叫："饶命，饶了我吧，我再也不干坏事啦！"

xiǎo xiàng yě lái le　　xiǎo yāo guài duì xiǎo xiàng shuō　　yǐ hòu wǒ
小象也来了，小妖怪对小象说："以后我

zài yě bù gěi nǐ dǎo luàn le
再也不给你捣乱了。"

tā cóng xiǎo xiàng ěr duo li ná chū yí zuò xiǎo fáng zi　　fàng zài bèi
他从小象耳朵里拿出一座小房子，放在背

shang　　huī liū liū de zǒu le
上，灰溜溜地走了。

xiǎo xiàng bèi shang de diàn huà jī　　dīng líng líng　　de xiǎng qǐ
小象背上的电话机"丁零零"地响起

lái　　jiē tōng hòu　　cóng huà tǒng li pēn chū le xǔ duō xiān huā
来，接通后，从话筒里喷出了许多鲜花。

阅读心得

　　当蓝皮鼠和大脸猫发现和小象在一起总"倒霉"的时候，他们并没有抛弃小象，而是一起努力帮他解决问题，这才是真正的朋友。小朋友，交朋友的时候我们要以诚相待，如果朋友有困难，我们要努力帮助他们解决，而不是一走了之。

读者反馈卡

感谢您购买《中国儿童文学名家名作·蓝皮鼠和大脸猫》，祝贺您正式成为了我们的"热心读者"，请您认真填写下列信息，以便我们和您联系。您如有作品和此表一同寄来，我们将优先采用您的作品。

读者档案

姓名＿＿＿＿＿＿＿＿　　年级＿＿＿＿＿＿＿＿＿

电话＿＿＿＿＿＿＿＿　　QQ号码＿＿＿＿＿＿＿

学校名称＿＿＿＿＿＿＿＿＿＿＿＿＿＿＿＿＿＿＿

班级＿＿＿＿＿＿＿＿　　邮编＿＿＿＿＿＿＿＿＿

通信地址＿＿＿＿＿＿省＿＿＿＿＿＿市（县）＿＿＿＿＿＿区

（乡/镇）＿＿＿＿＿＿＿＿＿街道（村）

任课老师及联系电话＿＿＿＿＿＿＿＿＿　课本版本＿＿＿＿＿＿

您认为本书的优点是＿＿＿＿＿＿＿＿＿＿＿＿＿＿＿＿

您认为本书的缺点是＿＿＿＿＿＿＿＿＿＿＿＿＿＿＿＿

您对本书的建议是＿＿＿＿＿＿＿＿＿＿＿＿＿＿＿＿＿

＿＿＿＿＿＿＿＿＿＿＿＿＿＿＿＿＿＿＿＿＿＿＿＿＿

您在使用过程中发现的错误，可另附页。

联系我们：北教小雨文化传媒（北京）有限公司

地址：北京市北三环中路6号北京教育出版社

邮编：100120

联系人：北教小雨编辑部

联系电话：13911108612

邮箱：beijiaoxiaoyu@163.com

*此表可复印或抄写寄至上述地址

征稿启事

为进一步给广大读者提供优质的阅读资源，推出精品图书，我社长期面向社会诚征家庭教育、童话故事、校园文学、成长小说、侦探小说、冒险小说等各类书稿，同时，欢迎相关单位与我们资源共享，共同打造优秀图书。

联系方式：

投稿邮箱：beijiaoxiaoyu@163.com

联系人：北教小雨编辑部